BIBLIOTECA ADELPHI
562

Acque morte
Ashenden
Il filo del rasoio
Il velo dipinto
In villa
La diva Julia
La lettera
La luna e sei soldi
Lo scheletro nell'armadio
Pioggia
Schiavo d'amore

W. Somerset Maugham

HONOLULU

E ALTRI RACCONTI

Traduzione di Vanni Bianconi

ADELPHI EDIZIONI

TITOLI ORIGINALI:

Mackintosh
Footprints in the Jungle
Mr Know-All
Flotsam and Jetsam
Honolulu
The Four Dutchmen
The Book-Bag
The End of the Flight
The Outstation

© 2010 ADELPHI EDIZIONI S.P.A. MILANO
WWW.ADELPHI.IT

ISBN 978-88-459-2522-1

INDICE

Mackintosh	11
Impronte nella giungla	49
Il Signor Sa-tutto-lui	83
Relitti	91
Honolulu	119
I quattro olandesi	147
La sacca dei libri	155
La fine della fuga	195
L'avamposto	203

HONOLULU
E ALTRI RACCONTI

MACKINTOSH

Sguazzò qualche minuto nel mare; l'acqua era troppo bassa per nuotare, ma non se la sentiva di spingersi al largo per paura degli squali; poi andò nella cabina a fare la doccia. L'acqua dolce gli parve gradevolmente fredda dopo quella del Pacifico, vischiosa e già tiepida alle sette del mattino, che invece di rinvigorire infiacchiva. Dopo essersi asciugato si infilò l'accappatoio e gridò al cuoco cinese che di lì a cinque minuti avrebbe fatto colazione. Attraversò a piedi nudi lo spiazzo di erbaccia che Walker, l'amministratore, considerava con orgoglio un prato all'inglese, raggiunse il suo alloggio e si vestì. Non gli ci volle molto, perché mise solo una camicia e dei pantaloni di tela. Quindi si diresse verso la casa del suo capo dall'altra parte dello spiazzo. Di solito i due mangiavano insieme, ma il cuoco cinese gli disse che Walker era uscito a cavallo alle cinque e non sarebbe tornato prima di un'ora.

Mackintosh aveva dormito male e guardò con disgusto la papaia e le uova al bacon che gli stavano davanti. Quella notte le zanzare l'avevano stremato; volavano così numerose attorno alla zanzariera che il loro ronzio, spietato e minaccioso, sembrava la nota prolungata all'infinito

11

di un organo lontano, e appena si assopiva Mackintosh si svegliava di soprassalto certo che una di loro fosse penetrata nella rete. Era nudo, tanto faceva caldo. Si rigirava nel letto di continuo, e il sordo sciabordio dei frangenti sulla barriera corallina, talmente incessante e regolare che in genere non si avvertiva nemmeno, affiorava alla sua coscienza in modo sempre più distinto; il ritmo gli martellava i nervi stanchi e nello sforzo di sopportarlo si era stretto la testa fra i pugni. Il pensiero che niente avrebbe arrestato quel suono, che sarebbe continuato per l'eternità era quasi insopportabile, e come se il suo vigore potesse competere con le forze impietose della natura, gli venne il folle impulso di fare qualcosa di violento. Si rendeva conto che se non ritrovava la padronanza di sé sarebbe impazzito. E ora, osservando dalla finestra la laguna e la striscia di schiuma sulla barriera corallina, rabbrividì di odio per la splendida scena: il cielo senza nuvole era come una ciotola capovolta che la racchiudesse. Accese la pipa e sfogliò i giornali di Auckland arrivati da Apia un paio di giorni prima. Il più recente era vecchio di tre settimane. Gli diedero un senso di incredibile tedio.

Poi entrò nell'ufficio. Era una grande stanza spoglia con due scrivanie, e su un lato una panca dove sedevano diversi indigeni e un paio di donne. Spettegolavano aspettando l'arrivo dell'amministratore, e quando videro Mackintosh lo salutarono.

«*Talofa-li*».

Lui rispose al saluto e si sedette alla scrivania. Iniziò a scrivere, lavorando a un rapporto che il governatore di Samoa sollecitava insistentemente e che Walker, con l'abituale negligenza, non aveva preparato. Mentre stendeva le sue note, Mackintosh pensò risentito che Walker non ci aveva messo mano perché era così ignorante da provare un'avversione irreprimibile per tutto quel che aveva a che fare con carta e penna; e quando lui, il subalterno, gli avesse consegnato il lavoro pronto, conciso, impeccabilmente ufficiale, Walker l'avrebbe accolto senza una parola di approvazione, con un ghigno, semmai, o una battuta di scherno, per poi inoltrarlo al suo superiore come se l'avesse redatto lui. Non una di quelle parole avrebbe potuto essere sua. Mackintosh si disse con rabbia che se il suo capo avesse aggiunto una cosa qualsiasi, sarebbe stata stilisticamente infantile e linguisticamente scorretta. Se poi lui avesse protestato o cercato di darle una forma intelligibile, Walker si sarebbe scaldato subito gridando: «Ma che mi frega della grammatica? È quello che voglio dire e lo voglio dire così».

Infine Walker arrivò. Gli indigeni gli si fecero intorno cercando di attirare subito la sua attenzione, ma egli intimò loro di star seduti e zitti. Altrimenti, minacciò, li avrebbe cacciati tutti e quel giorno non avrebbe ricevuto nessuno. Fece un cenno a Mackintosh.

«Ehilà, Mac; già in piedi? Non so proprio come fai a sprecare a letto la parte migliore della giornata. Avresti dovuto alzarti prima dell'alba, come me, lazzarone».

Si lasciò cadere pesantemente sulla sedia e si asciugò il viso con una grande bandana.

«Dio buono, c'ho una sete...».

Si voltò verso il poliziotto che stava alla porta, una figura pittoresca con la giacca bianca e il *lava-lava*, il pareo dei samoani, e gli disse di portare del *kava*. La ciotola di *kava* era in un angolo, sul pavimento; il poliziotto riempì una mezza noce di cocco e la portò a Walker che versò qualche goccia per terra, mormorò le parole di rito alla compagnia e bevve con gusto. Poi disse al poliziotto di servire gli indigeni e il guscio fu passato a tutti, in ordine di nascita o importanza, e svuotato con le stesse cerimonie.

Quindi si mise al lavoro. Era un uomo basso, molto al di sotto della statura media, estremamente tarchiato; aveva un faccione carnoso, ben rasato, le guance pendule e un generoso triplo mento; i tratti sottili scomparivano nel grasso; e, a parte una mezzaluna di capelli bianchi sulla nuca, era completamente calvo. Faceva venire in mente Mr Pickwick. Era grottesco, una caricatura, eppure, stranamente, non gli mancava una certa sua dignità. Gli occhietti blu, dietro la montatura d'oro, erano vivaci e astuti; il viso esprimeva una grande determinazione. Aveva sessant'anni ma la sua innata vitalità trionfava sull'avanzare dell'età. Nonostante la stazza era rapido nei movimenti; camminava con passi pesanti e risoluti, come se volesse imprimere il suo peso sulla terra. Parlava forte, con voce rauca.

Erano ormai passati due anni da quando Mackintosh era stato nominato suo assistente. Walker, da un quarto di secolo amministratore di Talua, una delle isole più grandi dell'arcipelago samoano, era conosciuto ovunque, anche solo di fama, nei Mari del Sud; e Mackintosh aveva atteso il loro primo incontro con viva curiosità. Per una ragione o per l'altra era rimasto un paio di settimane ad Apia prima di entrare in servizio, e sia all'hotel Chaplin sia all'English Club aveva sentito innumerevoli storie sul suo conto. Adesso ripensava con ironia all'interesse che gli suscitavano quegli aneddoti: da allora aveva avuto modo di ascoltarli un centinaio di volte da Walker in persona. Walker sapeva di essere un personaggio e, fiero della sua reputazione, l'alimentava di proposito. Geloso della sua «leggenda», e ansioso di precisare ogni dettaglio delle celebri storie che si raccontavano su di lui, si infuriava comicamente con chi le diffondeva in modo inesatto.

Era di una cordialità rude che sulle prime Mackintosh non aveva trovato sgradevole, e Walker, felice di avere un ascoltatore a cui tutto risultava nuovo, aveva dato il meglio di sé. Sapeva essere amichevole, gioviale, pieno di attenzioni. A Mackintosh, che a Londra aveva vissuto la vita protetta dell'ufficiale governativo fino a trentaquattro anni, quando un attacco di polmonite che minacciava di diventare tubercolosi l'aveva costretto a cercare lavoro nel Pacifico, la vita di Walker era sembrata straordinariamente romantica. L'avventura che aveva dato avvio alla sua vita rocambolesca era tipica del personaggio: se n'era andato per mare a quindici anni e aveva passato più di un anno a spalare carbone su una nave carboniera. Era un ragazzo gracile e la ciurma e i secondi lo trattavano bene, ma per qualche ragione il capitano provava per lui una violenta antipatia e lo sfruttava crudelmente. Spesso Walker era così concio per i calci e le percosse che non riusciva a dormire dal dolore. Detestava il capitano con tutta l'anima. Poi ebbe una soffiata per una corsa e riuscì a farsi prestare venticinque sterline da un amico conosciuto a Belfast. Le puntò sul cavallo, un outsider, a una quota molto alta. Se avesse perso non avrebbe avuto modo di ripagare la somma, ma l'idea di poter perdere non lo sfiorò nemmeno. Si sentiva fortunato. Il cavallo vinse e Walker si ritrovò con più di mille sterline sull'unghia. Era arrivato il suo momento. Cercò il miglior notaio della città – la carboniera se ne stava lungo le coste irlandesi –, gli disse di aver saputo che la nave era in vendita e lo incaricò dell'acquisto. Il notaio era divertito dal piccolo cliente, aveva appena sedici anni e nemmeno li dimostrava, e forse intenerito gli promise che non solo si sarebbe occupato della questione ma si sarebbe adoperato per fargli concludere un buon affare. Di lì a poco Walker era padrone della nave. Quando la raggiunse assaporò quello che definiva il suo momento di gloria: annunciò al capitano che aveva mezz'ora per andarsene dalla *sua* nave. Promosse il secondo a capitano e navigò con la carboniera altri nove mesi, per poi venderla con un notevole profitto.

Arrivò nelle isole a ventisei anni, come piantatore. Al momento dell'occupazione tedesca era uno dei pochi bianchi a Talua, e godeva già di un certo ascendente sugli indigeni. I tedeschi lo nominarono amministratore, incarico che ricoprì per vent'anni, e quando l'isola passò in mano britannica fu confermato nel suo ruolo. Governava in modo dispotico, però con ottimi risultati. Per Mackintosh la nomea della sua amministrazione era stata un ulteriore motivo di curiosità.

Ma i due non erano fatti per andare d'accordo. Mackintosh era sgradevole all'aspetto, goffo nei movimenti, alto, magro, col torace incassato e le spalle curve. Aveva guance smunte, giallastre, e grandi occhi cupi. Amava molto leggere; quando ricevette dei libri Walker entrò nel suo alloggio, diede loro un'occhiata, e poi si mise a sghignazzare.

«Che diavolo te ne fai di 'ste boiate?» chiese. Mackintosh arrossì violentemente.

«Mi rincresce che li reputi boiate. Me li sono fatti mandare per leggerli».

«Quando hai detto che aspettavi un bel po' di libri, pensavo che ci sarebbe stato qualcosa anche per me. Ma non hai neppure un giallo?».

«Non mi interessano i gialli».

«Allora sei proprio fesso».

«Pensala come ti pare».

A ogni giro di posta Walker riceveva una quantità di periodici, giornali dalla Nuova Zelanda, riviste dall'America, e lo esasperava che Mackintosh disapprovasse quelle stampe effimere. In compenso i libri che assorbivano tutto il tempo libero del suo assistente lo irritavano, ed era convinto che questi leggesse *Declino e caduta dell'impero romano* di Gibbon o l'*Anatomia della malinconia* di Burton solo per darsi un tono. E siccome non aveva mai imparato a tenere a freno la lingua, sparava a zero in continuazione. Mackintosh iniziò a intuire la sua vera natura e a intravedere, sotto la giovialità fracassona, un'astuzia volgare che gli risultava odiosa; Walker era gradasso e arrogante, però anche stranamente insicuro, così che trovava antipatico chiunque fosse diverso da lui. Con grande ingenuità, giudicava gli altri dal loro linguaggio e diventava sospettoso se non lo infarcivano delle imprecazioni e delle oscenità tanto preminenti nella sua conversazione. Di sera i due giocavano a picchetto. Walker giocava male ma con boria, infieriva sull'avversario quando vinceva lui, dava in escandescenze se perdeva. Nelle rare occasioni in cui un paio di piantatori o di mercanti venivano a giocare a bridge, Walker mostrava un lato che Mackintosh trovava rivelatore: giocava senza curarsi del partner, smaniando di fare la sua giocata, e zittiva incessantemente gli altri alzando la voce. Rispondeva di continuo con il seme sbagliato, poi gemeva in tono accattivante: «Oh, non vorrete dare addosso a un povero vecchio che ci vede appena...». Chissà se sapeva che gli avversari preferivano tenerselo buono piuttosto che insistere sul rigore della partita. Mackintosh lo guardava con disprezzo glaciale. Alla fine, fumando sigari e bevendo whisky, veniva il momento delle storie. Walker raccontava con grande gusto del suo matrimonio: alla festa di nozze si era ubriacato tanto che la sposa era scappata e non l'aveva mai più rivista. Aveva avuto innumerevoli avventure, sordide e banali, con le donne dell'isola, e l'orgoglio con cui descriveva le sue prodezze era offensivo per le orecchie schizzinose di Mackintosh. Walker era un vecchiaccio rozzo e carnale. Compativa Mackintosh perché non voleva saperne delle sue tresche amorose ed era l'unico sobrio quando la compagnia era sbronza.

Disapprovava perfino la sua diligenza nel lavoro. A Mackintosh le cose piaceva farle come si deve. La sua scrivania era sempre ordinata, le carte sempre ben etichettate, qualsiasi documento di cui avesse bisogno era a portata di mano, e così tutte le disposizioni di legge necessarie per gestire l'amministrazione.

«Sciocchezze» diceva Walker. «Ho governato quest'isola per vent'anni senza tanta burocrazia, e non intendo iniziare adesso».

«Immagino che ti sia d'aiuto dover rovistare per mezz'ora ogni volta che ti serve una certa lettera» rispondeva Mackintosh.

«Sei proprio un impiegatuccio. Ma non sei cattivo; un paio d'anni da queste parti ti metteranno a posto. Il tuo problema è che non bevi. Una sbornia a settimana, e saresti un tipo in gamba».

La cosa curiosa era che Walker era del tutto ignaro dell'avversione che cresceva mese dopo mese nell'animo del subalterno e, nonostante lo deridesse di continuo, ora che si stava abituando alla sua presenza iniziava quasi a prenderlo in simpatia. Walker aveva una certa tolleranza per le peculiarità altrui, e considerava Mackintosh un originale. Forse sotto sotto gli piaceva perché poteva farsi beffe di lui. L'umorismo di Walker consisteva di lazzi triviali, e aveva bisogno di una vittima. Mackintosh, così preciso, probo, castigato, gli offriva spunti gustosissimi; grazie al nome scozzese, poi, Walker poteva attingere al trito repertorio di battute sulla Scozia; il massimo del divertimento era quando c'erano altre due o tre persone e tutti ridevano di lui. Lo metteva in ridicolo con gli indigeni, e Mackintosh, che ancora stentava con il samoano, osservava la loro ilarità incontrollata quando Walker faceva qualche allusione sconcia. E sorrideva cordiale.

«Di questo devo darti atto, Mac,» diceva Walker con il suo vocione rauco «una battuta la sai incassare».

«Era una battuta?» sorrideva Mackintosh. «Non me n'ero accorto».

«Ah, 'sti scozzesi!» esclamava Walker con una risata sguaiata. «C'è un solo modo per fargli venire il senso dell'umorismo, ed è operarli!».

Walker non si era reso conto che per Mackintosh la cosa più insopportabile era proprio il dileggio: si svegliava la notte, quelle notti immobili della stagione delle piogge, a macerarsi per un motto di scherno che Walker aveva buttato lì giorni prima. Gli bruciava ancora. Il cuore gli ribolliva di rabbia, e si sforzava di trovare modi per pareggiare i conti. Aveva provato a rispondere per le rime ma quello spaccone, per quanto grezze e scontate fossero le sue battute, lo sopravanzava sempre. Inoltre, la sua ottusità lo proteggeva dalle stoccate più sottili, e la sua boria rendeva impossibile ferirlo. La voce stentorea, la risata gutturale, erano armi contro cui Mackintosh non poteva nulla, e aveva imparato che l'unica cosa saggia da fare era non tradire l'irritazione. Aveva imparato a controllarsi. Ma l'odio si trasformò in monomania. Era ossessionato da Walker. Il suo amor proprio si nutriva di ogni istante di bassezza dell'amministratore, di ogni esibizione di vanità infantile, astuzia, volgarità. Walker si ingozzava rumorosamente, parlando a bocca piena, e Mackintosh lo guardava soddisfatto; non c'era una stupidaggine o un errore di grammatica che gli sfuggisse. Sapeva che

Walker aveva poca stima di lui, e da questo traeva un'amara gratificazione che a sua volta alimentava il disprezzo per quel pallone gonfiato. Provava un particolare piacere all'idea che Walker fosse totalmente all'oscuro del suo odio per lui. Era un vanesio, e si illudeva che tutti lo ammirassero. Una volta Mackintosh l'aveva sentito parlare di lui.

«Ma sì, basta ammaestrarlo un po'» diceva. «È un bravo cane che ama il suo padrone».

Mackintosh se la rise di gusto, in silenzio, senza che la sua lunga faccia giallastra si muovesse di un millimetro.

Il suo odio però non era cieco; al contrario, era particolarmente lucido, ed egli sapeva giudicare con precisione le qualità di Walker. Governava il suo piccolo impero con efficienza. Era giusto e onesto. Malgrado le svariate opportunità di fare soldi, era più povero di quando era stato nominato amministratore, e l'unico sostentamento per la sua vecchiaia sarebbe stata la pensione. Il suo vanto era di riuscire, con un solo assistente e un impiegato meticcio, ad amministrare l'isola meglio di quanto facesse l'esercito di funzionari stanziati a Upolu, l'isola di cui Apia è il capoluogo. Aveva un paio di poliziotti indigeni a sostegno della sua autorità, ma non li usava mai. Governava con la sicumera e lo spiritaccio irlandese.

«Si sono impuntati a costruirmi una prigione» diceva. «E cosa diavolo me ne faccio di una prigione? Non ci metterò mica gli indigeni. Se combinano qualcosa so ben io che fare».

Uno dei problemi con i superiori di Apia era che Walker pretendeva giurisdizione assoluta sugli indigeni della sua isola. Quali che fossero i loro crimini, non li consegnava all'autorità competente, e più d'una volta c'erano stati scambi epistolari infuocati con il governatore di Upolu. Gli indigeni erano i suoi figli. E questo era l'aspetto straordinario di quell'uomo zotico, volgare ed egoista: egli amava appassionatamente l'isola in cui viveva da tanti anni, e per gli indigeni provava una strana, burbera tenerezza che aveva del meraviglioso.

19

Adorava girare per l'isola a cavallo di una vecchia giumenta bigia senza mai stancarsi delle sue bellezze. Vagava per le strade erbose, tra le palme da cocco, fermandosi di tanto in tanto ad ammirare il panorama. A volte invece faceva sosta in un villaggio, e mentre il capo gli portava una ciotola di *kava* osservava il gruppetto di capanne a forma di campana con i tetti di paglia simili ad alveari, e il volto gli si illuminava di un sorriso. I suoi occhi indugiavano felici sul verde lussureggiante degli alberi del pane.

«Perbacco, questo è il paradiso terrestre».

Talvolta si spingeva fin lungo la costa, e tra gli alberi coglieva scorci di mare aperto, sgombro, senza una vela a turbarne la solitudine; oppure saliva su una collina a osservare il lungo tratto di terra punteggiato di piccoli villaggi annidati tra gli alberi alti che si stendeva ai suoi piedi come un regno; restava seduto anche un'ora, in estasi. Ma non aveva parole per esprimere quei sentimenti, e per dar loro sfogo diceva qualche battuta greve; era come se l'emozione fosse così violenta da fargli sentire il bisogno della volgarità per spezzare la tensione.

Mackintosh osservava quello stato d'animo con uno sprezzo glaciale. Walker, che beveva da sempre, era fiero, quando passava una notte ad Apia, di continuare a bere mentre gente con la metà dei suoi anni finiva sotto il tavolo. Ed era lacrimoso come tutti gli alcolizzati. Poteva piangere per le storie che leggeva nelle sue riviste, ma rifiutava un prestito a mercanti in difficoltà che conosceva da vent'anni. Era taccagno. Una volta Mackintosh gli aveva detto:

«Non potranno certo accusarti di essere uno spendaccione».

Lui l'aveva preso come un complimento. Il suo entusiasmo per la natura era solo una svenevole ciarla da ubriacone, e del suo affetto per gli indigeni Mackintosh non aveva certo un'opinione più alta. Li amava perché erano in suo potere, come l'egoista ama il proprio cane, e perché intellettualmente erano al suo livello. Il loro umorismo era lascivo e lui non era mai a corto di lazzi scurrili. Si capivano perfettamente. Lui andava fiero dell'ascendente che aveva su di loro. Li considerava figli suoi e si impicciava in tutti i loro affari. Ma era molto geloso della sua autorità; li governava col pugno di ferro e non tollerava critiche, però non permetteva che nessun bianco sull'isola si approfittasse di loro. Guardava i missionari con sospetto e, quando facevano qualcosa che disapprovava, rendeva loro la vita impossibile; così, se non riusciva a farli trasferire lui, se ne andavano di propria iniziativa. Aveva un tale potere sugli indigeni che a un suo ordine avrebbero rifiutato sia il lavoro sia il cibo al pastore della missione. Quanto ai mercanti, non usava loro alcun riguardo. Controllava che non imbrogliassero gli indigeni; si accertava che li pagassero il giusto per il loro lavoro e la copra, e che non facessero profitti smodati con le merci che gli vendevano. Se considerava ingiusto un affare, sapeva essere spietato. Talvolta i mercanti andavano ad Apia a lamentarsi del fatto che Walker li danneggiava. In quei casi non c'era calunnia o sfacciata menzogna alla quale Walker non facesse ricorso pur di pareggiare i conti, e i mercanti scoprivano che non solo per lavorare in pace ma anche per sopravvivere dovevano accettare le sue condizioni. Più di una bottega appartenente a un commerciante che gli stava scomodo era andata a fuoco e, al di là della coincidenza sospetta, non c'era indizio che facesse risalire all'amministratore. Un meticcio svedese, rovinato dalle fiamme, s'era recato da lui e l'aveva accusato di incendio doloso. Walker gli aveva riso in faccia.

«Sei una carogna. Tua madre era una di loro, e tu cerchi di approfittarti degli indigeni. Se quella tua baracca è bruciata, è il giudizio della Provvidenza; ecco cos'è, il giudizio della Provvidenza. Sparisci dalla mia vista».

E mentre due poliziotti indigeni lo sbattevano fuori, l'amministratore si faceva una grassa risata.

«Il giudizio della Provvidenza...».

E adesso, sotto lo sguardo vigile di Mackintosh, Walker si mise al lavoro. Iniziò dagli ammalati perché, tra le varie attività, svolgeva pure quella di medico; aveva una stanzetta sul retro piena di farmaci. Si fece avanti un vecchietto dai capelli grigi e crespi, con un *lava-lava* azzurro, elaborati tatuaggi e la pelle grinzosa come uva passa.

«Tu cosa ci fai qui?» lo apostrofò Walker.

L'uomo si lagnò che non riusciva a mangiare senza vomitare e gli faceva male qua e gli faceva male là.

«Vattene dai missionari» fu la risposta di Walker. «Lo sai che io curo solo i bambini».

«Sono stato dai missionari e non guarisco».

«Allora va' a casa e preparati a morire. Hai già vissuto a lungo e vuoi vivere ancora? Sei uno stolto».

L'uomo si mise a piagnucolare, ma Walker accennò a una donna con un bambino malato in braccio di posarlo sulla scrivania. Le fece delle domande mentre esaminava il bimbo.

«Ti do una medicina» disse. E all'impiegato meticcio: «Va' nel dispensario e portami delle pillole di calomelano».

Ne diede subito una al bambino, e un'altra alla madre per dopo.

«Portalo via e tienilo al caldo. Domani se non è morto starà meglio».

Si allungò sulla sedia e accese la pipa.

«Un portento, il calomelano. Ho salvato più vite io col calomelano che tutti i medici dell'ospedale di Apia messi insieme».

Walker andava fiero della sua abilità, e con il dogmatismo dell'ignoranza non poteva soffrire i medici professionisti.

«I casi che mi piacciono di più» disse «sono quelli che tutti i dottori hanno dato per persi. Quando loro sentenziano che non esiste una cura, io dico: "venite da me". Ti ho già raccontato di quel tizio col cancro?».

«Varie volte» rispose Mackintosh.

«L'ho rimesso in sesto in tre mesi».

«Non mi hai mai raccontato di quelli che non sei riuscito a curare».

Conclusa questa parte di lavoro, Walker si dedicò al resto. C'era di tutto, una donna in crisi col marito e un uomo che si lamentava che la moglie era scappata.

«Baciati i gomiti» disse Walker. «È quello che sognano quasi tutti gli uomini».

C'era una lunga e complicata vertenza per pochi metri di terra. Una disputa sulla suddivisione del pescato. Una denuncia contro un mercante bianco che aveva imbrogliato sul peso. Walker ascoltava attentamente ogni caso, si faceva subito un'opinione, e deliberava. Dopodiché non ascoltava una parola di più; se la parte in causa insisteva, veniva sbattuta fuori da un poliziotto. Mackintosh osservava tutto con cupa irritazione. In linea di massima, si poteva dire che una giustizia approssimativa venisse applicata, ma l'assistente non tollerava che il capo si fidasse più del proprio istinto che delle deposizioni. Farlo ragionare era impossibile. Intimidiva i testimoni e se questi non avevano visto quel che voleva lui gli dava del ladro e del bugiardo.

Egli lasciò per ultimo un gruppo di uomini seduti nell'angolo. Li aveva ignorati a bella posta. La delegazione consisteva in un vecchio capo, un uomo alto e solenne dai corti capelli bianchi, con un *lava-lava* nuovo e un lungo scacciamosche di crine a testimonianza del suo rango, suo figlio, e cinque o sei fra gli uomini importanti del villaggio. Walker si era scontrato con loro e aveva avuto la meglio. Come al solito, ora voleva crogiolarsi nella sua vittoria e, dopo averli schiacciati, infierire sulla loro disperazione. Era una strana storia. A Walker piaceva costruire strade: quando era arrivato a Talua c'erano solo alcuni sentieri, ma lui man mano aveva fatto strade dappertutto congiungendo i vari villaggi. La prosperità dell'isola era dovuta proprio a questo: se prima era impossibile trasportare la copra e gli altri prodotti della terra, fino alla costa dove si poteva caricare su golette o motolance che la portassero ad Apia, ora era diventato facilissimo. La grande aspirazione di Walker era di costruire una strada tutt'intorno all'isola, e il progetto era già a buon punto.

23

«Tra un paio d'anni l'avrò completata, e allora potrò morire, o mi potranno licenziare, non m'importa».

Le strade erano la sua passione, e si metteva sovente in viaggio per controllarne lo stato. Erano piuttosto rudimentali, ampi sentieri coperti d'erba che attraversavano la boscaglia o le piantagioni; ma gli alberi andavano sradicati, i massi dissotterrati o fatti esplodere, e qua e là era stato necessario livellare il terreno. Egli andava fiero della sua abilità nell'affrontare gli impedimenti via via che si presentavano. Si compiaceva che le sue strade, oltre a essere utili, mettessero in risalto le bellezze dell'isola che amava con tutta l'anima. Quando parlava delle strade era quasi un poeta. Serpeggiavano in quegli splendidi scenari, e Walker si era adoperato perché alcune procedessero dritte, offrendo uno scorcio verdissimo tra gli alti alberi, e altre invece curvassero in continuazione, in modo che il cuore si beasse della varietà del paesaggio. Era strabiliante che quell'uomo grezzo e carnale facesse ricorso a simili sottigliezze dell'ingegno per raggiungere gli effetti suggeriti dalla sua fantasia. Nella sua opera aveva dimostrato abilità degne di un giardiniere giapponese. Aveva ricevuto un finanziamento dall'autorità centrale, ma si era fatto un curioso punto d'onore nell'usarne solo una piccola parte, e così l'anno prima aveva speso solo cento sterline delle mille assegnategli.

«Cosa se ne fanno questi qua dei soldi?» esclamava. «Li spendono in ogni sorta di paccottiglia che nemmeno gli serve; i soldi che gli lasciano i missionari, beninteso».

Senza un vero motivo, se non forse il compiacimento per la parsimonia della propria amministrazione e il desiderio di contrapporre l'efficienza ai metodi dispendiosi delle autorità di Apia, aveva convinto gli indigeni a lavorare per una paga pressoché simbolica. Era stato questo a creargli dei problemi con il villaggio rappresentato dalla delegazione che stava aspettando. Il figlio del capo aveva trascorso un anno a Upolu e al suo ritorno aveva riferito alla sua gente delle grandi somme che venivano stanziate per i lavori pubblici. A furia di chiacchiere aveva

24

scaldato gli animi con promesse di guadagno. Prospettava scenari opulenti, e loro pensavano al whisky che si sarebbero potuti comprare (era caro, per via di una legge che ne impediva la vendita agli indigeni, i quali finivano per pagarlo il doppio dei bianchi), pensavano alle casse di legno di sandalo lavorato dove tenevano i loro tesori, ai saponi profumati e al salmone in scatola, quei lussi per i quali i kanaka avrebbero venduto l'anima; così, quando l'amministratore li incaricò di costruire una strada tra il villaggio e la costa e offrì loro venti sterline, gliene chiesero cento. Il figlio del capo si chiamava Manuma. Era un bel ragazzo alto, la pelle color del rame, i capelli ispidi tinti di rosso con il lime, una collana di bacche rosse attorno al collo e dietro all'orecchio un fiore che accanto al viso bruno sembrava una fiamma scarlatta. Dalla cinta in su era nudo, ma per mostrare che da quando aveva vissuto ad Apia non era più un selvaggio, invece del *lava-lava* indossava dei calzoni di tela. Aveva detto alla sua gente che se fossero rimasti uniti l'amministratore avrebbe dovuto accettare le loro condizioni. Quella strada Walker la voleva a tutti i costi, e se si fosse convinto che per quella cifra non si sarebbero mossi, gli avrebbe dato quel che chiedevano. Ma dovevano essere irremovibili; qualsiasi cosa lui dicesse, non potevano abbassare il tiro; avevano chiesto cento e cento dovevano essere. Quando udì la cifra, Walker scoppiò in una delle sue lunghe risate gutturali. Disse loro di non fare i pagliacci e di mettersi subito al lavoro. Dato che quel giorno era di buonumore, promise che ultimata la strada avrebbe organizzato una festa. Ma quando scoprì che i lavori non avanzavano andò al villaggio a chiedere agli uomini a che stupido gioco giocassero. Manuma li aveva preparati bene. Restarono calmi, non cercarono di controbattere – e i kanaka adorano le dispute –, ma si limitarono a scrollare le spalle: l'avrebbero fatto per cento sterline, altrimenti niente. A lui la scelta. Per loro era uguale. A quel punto Walker s'infuriò. Faceva impressione: il collo tozzo si gonfiò minaccioso, la faccia rossa si fece paonazza, aveva la schiu-

25

ma alla bocca. Si scagliò contro di loro con un fiume di insulti. Sapeva bene come ferire e come umiliare. Incuteva terrore. Gli anziani, a disagio, erano pallidi. Titubavano. Se non fosse stato per Manuma, la sua conoscenza del grande mondo e il timore del suo scherno, avrebbero ceduto. Fu Manuma a rispondere a Walker.

«Pagaci cento sterline e ci mettiamo al lavoro».

Walker lo minacciò col pugno e lo insultò come un cane; gliene disse di tutti i colori. Manuma se ne stava seduto e sorrideva. Forse un sorriso più spavaldo che sicuro, ma che fece comunque il suo effetto sugli altri. Ripeté le stesse parole:

«Pagaci cento sterline e ci mettiamo al lavoro».

Tutti credettero che Walker lo avrebbe aggredito. Non sarebbe stata la prima volta che picchiava un indigeno con le sue mani; conoscevano bene la sua forza, e sebbene fosse tre volte più vecchio di Manuma e di una testa più basso, non avevano dubbi su chi avrebbe avuto la meglio. Nessuno si era mai immaginato di opporsi alle feroci aggressioni dell'amministratore. Invece Walker non reagì, anzi ridacchiò.

«Non sto a sprecare il mio tempo con un branco di imbecilli» disse. «Discutetene ancora. La mia offerta la conoscete. Se tra una settimana non avrete iniziato i lavori, peggio per voi».

Walker uscì dalla tenda del capo. Slegò la giumenta e uno degli anziani, com'era tipico dei loro rapporti, gli tenne salda la staffa libera mentre lui, con l'ausilio di un masso, si issava pesantemente in sella.

Quella stessa sera, mentre Walker faceva l'abituale passeggiata attorno a casa, qualcosa gli sfrecciò accanto con un sibilo e andò a colpire un albero. Era diretto contro di lui. Si acquattò d'istinto, poi gridò «Chi è?» e corse verso il punto da cui era partito il proiettile. Udì qualcuno che scappava nella boscaglia ma sapeva che al buio era inutile rincorrerlo, e comunque aveva poco fiato, quindi tornò sulla strada. Cercò l'oggetto ma non trovò nulla. Era troppo scuro. Rientrò in casa a chiamare Mackintosh e il boy cinese.

«Uno di quei demoni mi ha tirato addosso qualcosa. Andiamo a cercare cos'è».

Disse al boy di portare una lanterna e si misero a cercare nell'erba, ma non c'era niente. Di colpo il boy emise un grido gutturale. Si voltarono. Il boy alzò la lanterna verso il tronco di una palma dove, sinistro nella luce che fendeva le tenebre circostanti, si era conficcato un lungo coltello. Era stato lanciato con tanta forza che faticarono a tirarlo fuori.

«Perbacco, se mi avesse colpito sarei messo male».

Walker osservò il coltello. Era una di quelle imitazioni dei coltelli da marinaio arrivati nelle isole un secolo addietro con i primi bianchi, e che ora venivano usati per tagliare in due le noci di cocco e far seccare la copra. Era un'arma micidiale e la lama, lunga trenta centimetri, era affilatissima. Walker sghignazzò.

«Quel demonio, quel demonio insolente».

Non aveva dubbi che fosse stato Manuma a lanciare il coltello. Era sfuggito alla morte per dieci centimetri. Non era arrabbiato. Al contrario, era euforico; l'avventura l'aveva esaltato. A casa si fece servire da bere e si fregò le mani gongolante.

«Come gliela farò pagare!».

I suoi occhietti scintillavano. Era tronfio come un tacchino e, per la seconda volta in mezz'ora, decise di raccontare a Mackintosh l'accaduto con minuzia di dettagli. Poi gli propose di giocare a picchetto, e durante la partita blaterò delle sue intenzioni. Mackintosh lo ascoltava a labbra strette.

«Ma perché schiacciarli in questo modo?» chiese. «Venti sterline sono una paga alquanto misera per tutto il lavoro che gli chiedi».

«Dovrebbero solo ringraziare».

«Ma piantala, non sono soldi tuoi. Il governo stanzia una somma ragionevole. Non avranno niente da ridire se la spendi».

«Quelli di Apia sono un branco di cretini».

Mackintosh vedeva bene che Walker agiva per pura vanità. Scrollò le spalle.

«Non ti conviene rimetterci le penne solo per dare una lezione a quelli di Apia».

«Ma per carità, questa gente non mi farebbe mai del male. Senza di me sarebbero persi. Mi adorano. Manuma è uno sciocco. M'ha lanciato il coltello solo per spaventarmi».

Il giorno seguente Walker tornò al villaggio, che si chiamava Matautu. Non scese da cavallo. Arrivato alla capanna del capo vide gli uomini seduti in tondo a discutere, sempre della faccenda della strada, immaginò. Le capanne samoane sono fatte così: un cerchio di tronchi sottili ben distanziati, e un albero alto nel mezzo a cui viene fissata la paglia del tetto. Le veneziane di foglie di cocco si possono abbassare la notte o quando piove, ma di solito la capanna rimane aperta di modo che la brezza possa soffiare liberamente. Walker si fece sulla soglia e chiamò il capo.

«Ehi, Tangatu, ieri sera tuo figlio ha lasciato 'sto coltello in un albero. Ho pensato di riportartelo».

Lo scagliò nel mezzo della cerchia e si allontanò lentamente con una risata sommessa.

Lunedì andò a controllare lo stato dei lavori. Non avevano mosso un dito. Attraversò il villaggio a cavallo. Gli indigeni erano indaffarati coi loro mestieri; alcuni intrecciavano stuoie di foglie di pandano, un vecchio era alle prese con una ciotola per il *kava*, i bambini giocavano, le donne si occupavano delle faccende domestiche. Walker si diresse verso la capanna del capo con un sorrisino.

«*Talofa-li*» disse il capo.

«*Talofa-li*» rispose Walker.

Manuma stava lavorando a una rete. Sedeva con una sigaretta in bocca e guardò Walker con un sorriso di trionfo.

«Avete deciso di non costruire la strada?».

Rispose il capo:

«Se non ci paghi cento sterline».

«Ve ne pentirete». Si girò verso Manuma. «E tu, ragazzo mio, non mi sorprenderebbe se ben presto ti ritrovassi conciato per le feste».

Spronò il cavallo e se ne andò ridacchiando. Gli indigeni rimasero con un vago senso di disagio. Temevano quel vecchio vizioso, e né le contumelie che gli indirizzavano i missionari né il disprezzo nei suoi confronti che Manuma aveva scoperto ad Apia potevano far loro dimenticare la sua furbizia diabolica, o il fatto che nessuno l'aveva mai sfidato senza pagare lo scotto. Ventiquattr'ore dopo seppero cosa aveva architettato. Una trovata tipica. La mattina seguente un folto gruppo di uomini, donne e bambini si presentò al villaggio e il loro capo disse di essersi accordato con Walker per costruire la strada. Walker aveva offerto loro venti sterline e loro avevano accettato. Ora, qui stava l'astuzia: i polinesiani hanno regole di ospitalità ferree come leggi; una consuetudine inderogabile imponeva alla gente del villaggio di dare alloggio ai forestieri, non solo, anche di provvedere cibo e bevande per tutta la durata del loro soggiorno. Gli abitanti di Matautu erano stati messi nel sacco. Ogni mattina la combriccola di lavoratori se ne andava allegramente a tagliare alberi, far saltare pietre, livellare un po' qua e un po' là; la sera se ne tornava al villaggio a mangiare e bere, e mangiavano tutti di gusto, poi ballavano, cantavano, si godevano la vita. Per loro era una scampagnata. Ma ben presto la gente di Matautu iniziò a spazientirsi; i forestieri avevano un appetito portentoso, le banane e i frutti dell'albero del pane si dileguavano davanti alla loro voracità; gli avocado, che spediti ad Apia vendevano bene, erano decimati. La rovina li fissava dritto negli occhi. Inoltre scoprirono che i forestieri lavoravano molto lentamente. Era stato Walker a suggerire loro di prendersi il tempo che volevano? Di questo passo, una volta finita la strada non ci sarebbe stata una sola briciola di cibo in tutto il villaggio. Ma c'era una cosa ancora più grave: gli abitanti di Matautu erano diventati lo zimbello dell'isola;

quando uno di loro finiva in un paesino remoto per una qualsiasi faccenda, scopriva che la storia l'aveva preceduto e veniva accolto con risate di scherno. Non c'è niente che i kanaka odino quanto l'essere messi alla berlina. Ben presto gli angariati cominciarono a sparlare fra di loro. Manuma non era più un eroe, doveva sopportare continui affronti, e un bel giorno quello che Walker aveva previsto si avverò: una discussione accesa si trasformò in lite e un gruppo di ragazzi si scagliò sul figlio del capo dandogliene tante che rimase steso sulla stuoia di pandano per una settimana, livido e dolorante. Si rigirava senza trovare pace. Ogni due giorni l'amministratore passava a cavallo a controllare la strada. Non resisteva alla tentazione di dileggiare il nemico sconfitto, e ogni momento era buono per buttare in faccia agli avviliti abitanti di Matautu la loro amara umiliazione. Egli minava il loro morale. Finché una mattina si misero l'orgoglio in tasca – si fa per dire, perché le tasche non le hanno – e si unirono ai forestieri per costruire la strada. Era urgente terminarla, se volevano salvare almeno un po' di cibo, così si mobilitò tutto il villaggio. Ma lavoravano in silenzio, con rabbia e mortificazione nel cuore; perfino i bambini sfacchinavano senza dire una parola. Le donne trasportavano fasci di sterpaglia piangendo. Quando Walker li vide quasi cadde da cavallo dal gran ridere. La notizia si diffuse rapida e fece sbellicare tutta l'isola. Era la beffa delle beffe, il trionfo supremo di quell'astuto vecchio bianco che nessun kanaka era mai riuscito a gabbare; la gente veniva anche da villaggi lontani, con le mogli e i figli, a guardare quegli imbecilli che avevano rifiutato venti sterline per la strada che ora erano costretti a costruire gratis. Ma più lavoravano loro, meno lavoravano gli ospiti. Perché avrebbero dovuto spicciarsi se ricevevano del buon cibo gratis, e la loro lentezza giovava alla riuscita della beffa? Alla fine i disgraziati abitanti del villaggio non ce la fecero più, e quella mattina erano venuti a pregare l'amministratore di rispedire i forestieri dov'erano venuti. Se l'avesse fatto, gli promettevano di terminare la strada da soli e senza paga. La sua vittoria era totale e incondizionata. Erano prostrati. Il suo faccione liscio si accese di un'arroganza compiaciuta, e tutto il corpo parve gonfiarsi come quello di un enorme rospo. Aveva un'aria sinistra e Mackintosh rabbrividì di disgusto. Poi Walker iniziò a parlare col suo tono roboante.

«È per il mio di bene che costruisco la strada? Credete che io ne tragga qualche vantaggio personale? Lo faccio per voi, perché possiate camminare comodamente, e trasportare comodamente la copra. Mi sono offerto di pagarvi per il lavoro, sebbene il lavoro giovi a voi. Vi avevo proposto una somma generosa. Adesso siete voi a dover pagare. Manderò a casa la gente di Manua solo se completerete la strada e pagherete di tasca vostra le venti sterline che gli spettano».

Si levò un coro di proteste. Tentarono di farlo ragionare. Gli dissero che i soldi non li avevano. Ma lui rispondeva con crudele sarcasmo. Poi l'orologio batté l'ora.

«È ora di pranzo» disse. «Mandateli via».

Si alzò pesantemente dalla sedia e uscì. Quando Mackintosh lo raggiunse lo trovò già a tavola, il tovagliolo legato attorno al collo, le posate in pugno, in attesa delle pietanze che il cuoco cinese stava per portare. Era di ottimo umore.

«Li ho sistemati per bene» commentò quando Mackintosh si fu seduto. «Credo che d'ora in avanti non avrò più problemi con le strade».

«Immagino che stessi scherzando» disse Mackintosh freddamente.

«Cosa vuoi dire?».

«Non gli vorrai davvero far pagare le venti sterline?».

«Ci puoi scommettere che gliele faccio pagare».

«Non sono sicuro che tu ne abbia il diritto».

«Ah, non sei sicuro? Io invece credo che ho il diritto di fare quel che mi pare e piace su quest'isola».

«Secondo me li hai tormentati a sufficienza».

Walker scoppiò a ridere. Non gli importava cosa pensasse Mackintosh.

«Quando vorrò la tua opinione, verrò a chiedertela».

Mackintosh si fece di cenere. Sapeva per amara esperienza che non poteva far altro che star zitto; lo sforzo per reprimersi fu tale che si sentì mancare. Aveva la nausea. Non riusciva a toccare il cibo che aveva davanti, e guardava con disgusto Walker che si ingozzava di carne. Era ripugnante, per stare a tavola con lui bisognava avere uno stomaco forte. Mackintosh rabbrividì. Fu preso dal desiderio irrefrenabile di umiliare quell'essere abietto e crudele; avrebbe dato qualsiasi cosa per vederlo nella polvere, vederlo soffrire quanto lui aveva fatto soffrire gli altri. Non lo aveva mai odiato come adesso.

Passarono le ore. Dopo pranzo Mackintosh cercò di dormire, ma era troppo scosso; cercò di leggere, ma le lettere non stavano ferme sulla pagina. Il sole batteva impietoso e gli venne voglia di pioggia; ma lo sapeva che quella pioggia non portava refrigerio, rendeva solo tutto più caldo e più appiccicoso. Di colpo in cuore desiderò quei venti gelidi che sibilano per le strade di granito di Aberdeen, la sua città natale. Qui era imprigionato, non solo dal mare placido, ma dal suo odio per quel vecchio laido. Si strinse la testa dolente tra le mani. Avrebbe voluto ucciderlo, ma si sforzò di contenersi. Doveva far qualcosa per distrarsi, e dato che non riusciva a leggere decise di mettere ordine tra le sue carte. Lo voleva fare da tempo, ma aveva sempre rimandato. Aprì il cassetto della scrivania e tirò fuori un fascio di lettere. Intravide la sua rivoltella. Ebbe l'impulso, represso sul nascere, di spararsi un colpo in testa e mettere fine all'intollerabile schiavitù della vita. Notò che con l'aria umida la rivoltella aveva fatto un po' di ruggine; prese uno strofinaccio e si mise a pulirla. A un certo punto udì dei movimenti furtivi fuori dalla porta. Alzò le testa e gridò:

«Chi è là?».

Ci fu un attimo di silenzio, poi apparve Manuma.

«Cosa vuoi?».

Dapprima il figlio del capo, lì in piedi con aria cupa, esitò, e quando parlò fu con voce strozzata.

«Non possiamo pagare venti sterline. Non le abbiamo».

«Cosa ci posso fare?» disse Mackintosh. «Avete sentito cos'ha detto Mr Walker».

Manuma iniziò a supplicare, metà in samoano e metà in inglese. Mackintosh provò disgusto per quella nenia lamentosa, per l'intonazione tremula del mendicante. Lo indignava che quell'uomo si lasciasse schiacciare a quel modo. Era uno spettacolo pietoso.

«Non posso farci niente» disse con irritazione. «Lo sai che qui il capo è Mr Walker».

Manuma, immobile nel vano della porta, ammutolì di nuovo.

«Sono malato» disse alla fine. «Ho bisogno di medicine».

«Che cos'hai?».

«Non so. Sto male. Il corpo mi fa male».

«Non startene lì impalato» disse Mackintosh bruscamente. «Entra e fatti dare un'occhiata».

Manuma entrò nella stanzetta e si mise davanti alla scrivania.

«Mi fa male qui e qui».

Si toccò l'addome e fece una smorfia di dolore. All'improvviso Mackintosh si rese conto che gli occhi del ragazzo erano fissi sulla rivoltella rimasta sul tavolo. Tra i due ci fu un silenzio che a Mackintosh parve infinito. Gli sembrava di leggere i pensieri di Manuma. Il cuore gli batteva violentemente. Poi si sentì come posseduto, gli parve di agire per ordine di una volontà esterna. Non era lui a decidere i movimenti del suo corpo, ma una forza estranea. Gli si seccò la gola e si toccò il collo meccanicamente per riuscire a parlare. Era come costretto a eludere lo sguardo di Manuma.

«Aspetta qui,» disse, e parlava come se qualcuno lo stringesse alla trachea «ti porto qualcosa dal dispensario».

Si alzò. Era la sua immaginazione, o barcollava leggermente? Manuma rimase in silenzio e Mackintosh, pur evitando di guardarlo, sapeva che stava fissando ottusamente la porta. Era quell'altra persona, quella che lo possedeva, a spingerlo fuori dalla stanza, ma fu lui a sparpagliare dei fogli sopra la rivoltella per nasconderla. Entrò nel dispensario. Prese una pillola e versò un intruglio blu in un una bottiglietta, poi uscì nel cortile. Non voleva rientrare, e chiamò fuori Manuma.

«Vieni qua».

Gli diede le medicine e spiegò come prenderle. Non capiva cosa gli impedisse di guardare il kanaka, e parlava fissando un punto sopra la sua spalla. Manuma prese i farmaci e sgattaiolò via.

Mackintosh andò in sala da pranzo e si mise a sfogliare ancora una volta i vecchi giornali. Ma non riusciva a leggere. In casa c'era una gran quiete. Walker dormiva nella sua stanza al piano di sopra, il cuoco cinese aveva da fare in cucina, i due poliziotti erano andati a pescare. Sulla casa sembrava pesare un silenzio sovrannaturale, mentre nella testa di Mackintosh martellava una sola domanda, se la rivoltella fosse ancora dove l'aveva lasciata. Andare a controllare gli era impossibile. Il dubbio era atroce, ma la certezza sarebbe stata più atroce ancora. Sudava. Alla fine non resse più quel silenzio e si decise a far visita a Jervis, il mercante che aveva la bottega lì vicino. Era un meticcio, ma quel poco di sangue bianco bastava per poterci parlare. Voleva allontanarsi dal suo ufficio, con la scrivania coperta di fogli sparpagliati, e sotto di essi qualcosa, o niente. Si incamminò. Quando passò davanti alla bella capanna di un capo qualcuno gli gridò un saluto. Poi giunse alla bottega. Dietro il banco c'era la figlia del mercante, una ragazzona scura di pelle con una blusa rosa e una gonnellina bianca. Jervis sperava che Mackintosh la sposasse. I soldi non gli mancavano, e gli aveva confidato che il marito di sua figlia se la sarebbe passata bene. Lei arrossì un poco quando lo vide.

«Papà sta sistemando delle casse arrivate stamattina. Vado a dirgli che lei è qui».

Lui si mise a sedere e la ragazza scomparve nel retrobottega. Un attimo dopo fece la sua goffa entrata la madre, un'enorme vecchia, una capo tribù che possedeva parecchia terra per nascita; gli strinse la mano. Nonostante la scandalosa corpulenza, non era priva di una sua dignità. Era cordiale senza essere deferente, affabile ma conscia del proprio rango.

«Non la riconosco nemmeno più, Mr Mackintosh. Proprio stamane Teresa diceva: "Ma Mr Mackintosh non si fa più vedere?"».

Egli ebbe un sussulto all'idea di essere il genero di quella vecchia indigena. Era risaputo che, malgrado il sangue bianco del marito, lei lo comandava a bacchetta. L'autorità e la bottega erano in mano sua. Per i bianchi poteva anche essere solo la signora Jervis, ma suo padre era stato un capo di sangue reale, e suo nonno e il suo bisnonno due re. Arrivò il marito, piccino a fianco dell'imponente consorte, un uomo scuro con la barba sale e pepe, occhi belli e denti bianchissimi, vestito con dei pantaloni di tela. Era molto britannico nei modi e colorito nelle espressioni, ma si sentiva che l'inglese era comunque la sua seconda lingua; era cresciuto usando quella della madre indigena. Era un uomo servile e ossequioso.

«Oh, Mr Mackintosh, che bella sorpresa. Teresa, portaci il whisky; Mr Mackintosh si farà un goccino con noi».

Riferì tutte le novità di Apia, senza mai staccare gli occhi da quelli di Mackintosh per indovinare la cosa più gradita da dire.

«E Walker, come se la passa? È da un po' che non lo vediamo. Uno di questi giorni la mia signora gli manderà un porcellino di latte».

«L'ho visto a cavallo stamattina» disse Teresa.

«Alla nostra» disse Jervis, alzando il bicchiere.

Mackintosh bevve. Le due donne lo osservavano, la madre placida e altezzosa nel lungo camicione nero della missione, la figlia pronta a sorridere ogni volta che incrociava il suo sguardo, mentre il padre spettegolava instancabile.

«Ad Apia dicono che è ora che Walker vada in pensione. Non è più un giovanotto. Le cose non sono più com'erano quando è arrivato, e lui non è stato al passo».

«Adesso, poi, sta esagerando» disse la matrona. «Gli indigeni sono scontenti».

«Che tiro mancino, quello della strada» ridacchiò il mercante. «Quando gliel'ho raccontato, ad Apia si sono scompisciati dalle risate. Quella vecchia canaglia!».

Mackintosh lo fulminò con lo sguardo. Come si permetteva di parlare di Walker in quella maniera? E poi un mercante meticcio doveva dire *Mr* Walker. Fu sul punto di dargli una bella strigliata per l'impertinenza, e non capì cosa lo trattenesse dal farlo.

«E quando se ne va, spero che il suo posto lo prenda lei, Mr Mackintosh» disse Jervis. «Lei piace a tutti sull'isola. Lei li capisce, gli indigeni. Ormai sono istruiti, non vanno più trattati come ai vecchi tempi. Ora ci serve una persona istruita, come amministratore. Walker è solo un mercante come me».

Gli occhi di Teresa scintillavano.

«Quando verrà il momento faremo tutto il possibile, ci può scommettere un occhio. Mi occuperei personalmente di riunire tutti i capi, portarli ad Apia e fare una petizione».

Mackintosh si sentì male. Non gli era neanche passato per la testa che, se fosse capitato qualcosa a Walker, lui avrebbe potuto succedergli. Era pur vero che nessuno nella sua posizione conosceva l'isola così bene. Si alzò di scatto e uscì senza quasi salutare, tornò al bungalow e si infilò dritto nella sua stanza. Andò alla scrivania. Sparpagliò le carte.

La rivoltella non c'era.

Il cuore gli esplose in petto. La cercò dappertutto, sotto le sedie e negli armadi, la cercò freneticamente, ma sapeva benissimo che non l'avrebbe trovata. A un tratto udì il vocione aspro di Walker.

«Cosa diavolo stai combinando, Mac?».

Trasalì. Walker era sulla porta. D'istinto diede le spalle alla scrivania per nascondere quel che c'era sopra.

«Metti in ordine?» si informò Walker. «Ho fatto attaccare la bigia al calesse, e me ne vado a Tafoni a fare il bagno. Faresti bene a venire anche tu».

«D'accordo» disse Mackintosh.

Finché gli stava appresso non poteva succedere niente. Erano diretti in un posto a tre miglia da lì, dove c'era una vasca di acqua dolce separata dal mare da una sottile barriera di roccia; l'amministratore l'aveva scavata con gli esplosivi perché gli indigeni potessero bagnarsi. L'aveva fatto in più punti dell'isola, ovunque ci fosse una sorgente. L'acqua dolce, rispetto a quella viscosa e tiepida del mare, era fresca e tonificante. Proseguirono lungo la silente strada erbosa, attraversarono i guadi che si formavano dove il mare si era aperto uno sbocco, e due villaggi indigeni, con le capanne a forma di campana e la cappella bianca nel mezzo; al terzo villaggio smontarono, legarono il cavallo e raggiunsero la vasca. Li accompagnavano quattro o cinque ragazze e una dozzina di bambini. Di lì a poco erano tutti in acqua a sguazzare, ridendo e gridando, mentre Walker, vestito del suo *lava-lava*, nuotava avanti e indietro come una goffa focena. Faceva battute lascive alle ragazze, e loro si divertivano a immergersi vicino a lui per guizzare via quando cercava di afferrarle. Quando si stancò si stese su una roccia, e ragazze e bambini gli si fecero intorno; una famiglia felice. Quel vecchio massiccio, con la sua mezzaluna di capelli bianchi e il luccicante cocuzzolo pelato, sembrava una specie di divinità marina. Mackintosh colse una strana tenerezza nei suoi occhi.

«Sono dei cari figlioli» disse. «Io sono come un padre per loro».

Un secondo dopo aveva già rivolto un apprezzamento scurrile a una delle ragazze, facendo sbellicare tutti dalle risate. Mackintosh cominciò a vestirsi; con quelle gambe e quelle braccia sottili era una figura grottesca, un sinistro Don Chisciotte, e Walker lo schernì volgarmente; gli fecero coro delle risatine soffocate. Mackintosh lottava con la camicia. Sapeva di avere un'aria assurda, ma non sopportava che si ridesse di lui. Si fece torvo e silenzioso.

«Se vuoi arrivare in tempo per la cena, faresti meglio a prepararti» disse a Walker.

«Non sei un cattivo diavolo, Mac. Ma sei uno sciocco. Ogni volta che stai facendo una cosa vorresti farne un'altra. Noi non viviamo così».

Però poi si alzò lentamente e si rivestì. Pian piano raggiunsero il villaggio, bevvero una ciotola di *kava* insieme al capo e infine, dopo il gioioso commiato degli indolenti abitanti, rincasarono.

Dopo cena, come d'abitudine, Walker si accese un sigaro e si preparò per la sua passeggiata. Mackintosh fu colto da un terrore improvviso.

«Non ti sembra poco saggio andartene in giro da solo di notte, di questi tempi?».

Walker lo fissò con i suoi tondi occhi azzurri.

«Cosa diavolo vuoi dire?».

«Pensa al coltello dell'altra sera. Li hai fatti inferocire».

«Macché! Non oserebbero alzare un dito contro di me».

«Be', qualcuno ha già osato».

«È stata una bravata, non mi farebbero mai del male. Sono come un padre, per loro. Lo sanno che faccio tutto per il loro bene».

Mackintosh lo guardò con profondo disprezzo. La boria di quell'uomo lo indignava, eppure qualcosa lo spinse a insistere.

«Ricorda quel che è successo stamattina. Non ti farà male startene a casa, solo per stasera. Potremmo giocare a picchetto».

«Giocheremo a picchetto quando torno. Deve ancora nascere il kanaka che può farmi cambiare abitudini».

«Sarà meglio che venga con te».

«Tu resti dove sei».

Mackintosh si strinse nelle spalle. Lui l'aveva avvertito. Se l'altro non gli dava retta erano affari suoi. Walker si infilò il cappello e uscì. Mackintosh stava per mettersi a leggere, ma poi si disse che forse gli conveniva farsi vedere da qualcuno; allora si diresse in cucina e con un pretesto qualunque si intrattenne un po' con il cuoco. Dopodiché andò a mettere un disco sul grammofono, ma mentre quello suonava una melodia malinconica, la canzonetta di un vaudeville londinese, lui tendeva l'orecchio verso un possibile suono lontano nella notte. Sebbene lì accanto il disco sbraitasse a tutto volume, a lui sembrava di essere avvolto da un silenzio sovrannaturale. Udiva il sordo sciabordio dei frangenti sulla barriera corallina. Udiva la brezza che stormiva in alto, tra le foglie delle palme da cocco. Quanto ci voleva ancora? Era atroce.

Udì una risataccia.

«Uno non finisce mai di stupirsi. Non lo fai spesso, di metterti su un disco, Mac».

Il faccione rosso, burbero e gioviale di Walker fece capolino dalla finestra.

«Come vedi sono sano e salvo. Perché ascoltavi il disco?».

Entrò nella stanza.

«Nervi un po' scossi, eh? Una bella musichetta per rinfrancare gli animi?».

«Ascoltavo il tuo requiem».

«E che accidenti sarebbe?».

«"Una pinta di birra scura..."».

«Ah, grande canzone. La potrei ascoltare all'infinito. E adesso sono pronto a pelarti a carte».

Giocarono e Walker vinse di prepotenza: imbrogliava ricorrendo a qualsiasi stratagemma, canzonava l'avversario sfottendolo per ogni errore, faceva il prepotente e poi esultava. Intanto Mackintosh aveva ritrovato la calma e riusciva a trarre un certo piacere dall'osservare con distacco, quasi lui fosse esterno alla scena, quel vecchio tracotante e il proprio glaciale riserbo. Chissà dove, intanto, Manuma aspettava silenzioso il suo momento.

Walker vinse una partita dopo l'altra e a fine serata intascò la vincita sprizzando buonumore.

«Devi ancora farne di strada, Mac, prima di mettermi in difficoltà. È che per le carte ho una dote naturale».

«Non so se si tratta di dote, quando ti trovi in mano quattordici assi».

«Le buone carte arrivano ai buoni giocatori» ribatté Walker. «Avrei vinto anche con le tue, di carte».

Si dilungò sulle svariate occasioni in cui aveva giocato contro noti bari e con loro grande sorpresa li aveva spennati fino all'ultimo centesimo. Le sparava grosse. Si lodava sperticatamente. Mackintosh ascoltava assorto. Adesso voleva nutrire il proprio odio, e ogni parola, ogni gesto di Walker glielo rendeva più detestabile. Finalmente Walker si alzò.

«Bene, me ne vado a nanna» disse sbadigliando forte. «Domani mi aspetta una lunga giornata».

«Che programmi hai?».

«Devo andare dall'altra parte dell'isola. Partirò alle cinque, ma credo che tornerò tardi per la cena».

Di solito cenavano alle sette.

«Allora mangiamo alle sette e mezza».

«Mi sa che è meglio».

Mackintosh lo osservò svuotare la pipa. Era di una vitalità rude e esuberante. Era strano pensare che la morte fosse in agguato. Negli occhi freddi e cupi di Mackintosh balenò un sorrisetto.

«Vuoi che venga con te?».

«E perché diavolo dovrei volerti con me? Vado con la giumenta e avrà già il suo daffare a portare me; non ci pensa neanche a trascinarti per cinquanta chilometri».

«Forse non ti rendi bene conto di che aria tiri a Matautu. Sarebbe molto più prudente se io venissi con te».

Walker scoppiò in una risata sprezzante.

«Certo che saresti un bell'aiuto in una zuffa! E sono un osso duro, io, non è facile spaventarmi».

Il sorrisetto di Mackintosh passò dagli occhi alle labbra. Una smorfia dolorosa.

«*Quem deus vult perdere prius dementat*».

«E che cavolo è?».

«Latino» rispose Mackintosh uscendo.

E ridacchiò. Ormai era di tutt'altro umore. Lui aveva fatto quanto poteva, adesso la faccenda era nelle mani del destino. Dormì di un sonno profondo come non gli capitava da settimane. La mattina seguente uscì di casa appena sveglio. Dopo quella bella dormita l'aria fresca lo rese quasi euforico. Gli azzurri del mare e del cielo erano più vividi del solito, l'aliseo rinfrescava, e la brezza carezzava la laguna increspandola come quando si carezza il velluto contropelo. Si sentì più forte e più giovane. Si mise al lavoro con gusto. Dopo pranzo riposò di nuovo, e sul far della sera sellò il baio e si aggirò nella macchia. Gli sembrava di vedere tutto con occhi nuovi. Si sentì più normale. La cosa straordinaria era che riusciva a non pensare minimamente a Walker. Per quel che lo riguardava, era come se non fosse mai esistito.

Rientrò tardi, accaldato dalla cavalcata, e fece un altro bagno. Poi si sedette nella veranda a fumare la pipa e a guardare il tramonto sulla laguna; tinta di rosa, porpora e verde, era bellissima al crepuscolo. Si sentì in pace col mondo e con se stesso. Quando il cuoco annunciò che la cena era pronta e chiese se doveva aspettare ancora, Mackintosh gli sorrise con benevolenza. Guardò l'orologio.

«Sono le sette e mezza. Meglio non aspettare. Chissà a che ora tornerà il capo».

Il boy annuì, e un attimo dopo Mackintosh lo vide attraversare il cortile con una ciotola di zuppa fumante. Si alzò pigramente, entrò in sala da pranzo e si mise a cenare. Era successo? Rimanere nel dubbio era divertente e Mackintosh ridacchiò in silenzio. Il cibo gli sembrava meno monotono del solito, e l'hamburger, il piatto a cui il cuoco ricorreva quando la sua misera inventiva lo abbandonava, era miracolosamente succulento e saporito. Dopo cena si trascinò pigramente verso il suo bungalow per prendere un libro. Gli piaceva quella intensa quiete, e ora che era scesa la notte splendevano le stelle. Gridò che gli portassero una torcia, e il cinesino comparve sgambettando a piedi nudi, tagliando l'oscurità con un raggio di luce. Lasciò la torcia sulla scrivania e scivolò via senza un rumore. Mackintosh impietrì perché, tra le carte sparpagliate, c'era la sua rivoltella. Ebbe un tuffo al cuore e iniziò a sudare. Così era fatta.

41

La prese con mano tremante. Mancavano quattro proiettili. Rimase immobile per un momento, scrutando nel buio della notte, ma non c'era nessuno. Infilò rapido quattro cartucce nel caricatore e richiuse la rivoltella nel cassetto.

Si mise a sedere e attese.

Passò un'ora, ne passò un'altra. Non succedeva niente. Stava alla scrivania come se scrivesse qualcosa, ma non scriveva e non leggeva. Ascoltava. Tendeva l'orecchio per carpire un suono che veniva da molto lontano. Finalmente udì dei passi incerti e comprese che si trattava del cuoco cinese.

«Ah-Sung» chiamò.

Il boy entrò.

«Capo molto litaldo» disse. «Cena no buona».

Mackintosh lo fissò, chiedendosi se sapeva cos'era accaduto e se, una volta scopertolo, avrebbe ricostruito com'erano stati i rapporti tra Mackintosh e Walker. Era sempre assorto nel suo lavoro, svelto, silenzioso e sorridente, chi poteva indovinare i suoi pensieri?

«Immagino che si sia fermato a cenare per strada, ma tieni la zuppa in caldo in ogni caso».

Aveva appena pronunciato queste parole che il silenzio fu rotto da una gran confusione, grida, e lo scalpiccio concitato di piedi nudi. Diversi indigeni corsero nello spiazzo, uomini, donne e bambini; si affollarono attorno a Mackintosh e presero a parlare tutti insieme. Non si capiva niente. Erano agitati e impauriti, alcuni piangevano. Mackintosh si aprì un varco e si diresse al cancello. Anche se non aveva afferrato una parola di quello che dicevano, sapeva bene cos'era accaduto. Vide arrivare il calesse. Un kanaka alto conduceva la vecchia giumenta mentre a cassetta due uomini tentavano di sorreggere Walker. Tutt'intorno, una piccola folla di indigeni.

La giumenta fu fatta entrare nel recinto e gli indigeni si riversarono dietro di essa. Mackintosh gridò loro di stare indietro e i due poliziotti, apparsi all'improvviso da chissà dove, li spinsero violentemente da parte. Per ora era riuscito a capire che rincasando dalla pesca gli indigeni avevano trovato il calesse lungo il guado. La giumenta brucava e nell'oscurità avevano intravisto solo la grossa massa bianca del vecchio sprofondato tra sedile e cruscotto. Dapprima avevano creduto che fosse ubriaco e sogghignando si erano avvicinati per sbirciare, poi però avevano sentito un rantolo e avevano compreso che qualcosa non andava. Erano corsi al villaggio a chiedere aiuto. Solo quando erano ritornati con una cinquantina di persone avevano scoperto che gli avevano sparato.

Con un brivido di orrore improvviso, Mackintosh si chiese se fosse già morto. Ad ogni modo la prima cosa da fare era tirarlo fuori dal calesse, e data la corpulenza di Walker non fu impresa facile. Ci vollero quattro uomini forti per sollevarlo. Lo scossero e lui emise un gemito sordo. Era ancora vivo. Infine lo portarono in casa, su per le scale, e lo adagiarono sul letto. Mackintosh lo vide solo allora, perché lo spiazzo, illuminato da una dozzina di lanterne, era troppo scuro. I pantaloni di tela erano macchiati di sangue, e gli uomini che l'avevano trasportato si pulivano le mani rosse e appiccicose sui *lava-lava*. Mackintosh fece luce. Si sorprese di vedere il vecchio così pallido. Aveva gli occhi chiusi. Respirava ancora, il battito era appena percettibile, ma era ovvio che stava morendo. Mackintosh non si aspettava di provare un simile sgomento. Vide l'impiegato indigeno, e con voce roca per la paura gli disse di andare nel dispensario a prendere l'occorrente per un'iniezione ipodermica. Un poliziotto aveva portato su il whisky, e Mackintosh ne versò un goccio nella bocca del vecchio. La stanza era gremita di indigeni. Sedevano in terra, ammutoliti, ora, terrorizzati; solo di tanto in tanto si alzava un lamento. Faceva molto caldo, ma Mackintosh aveva freddo, le mani e i piedi come ghiaccioli, e doveva sforzarsi per non tremare tutto. Non sapeva che fare. Non sapeva se Walker sanguinasse ancora, e se sanguinava non sapeva come fermare l'emorragia.

L'impiegato portò la siringa ipodermica.

«Fagliela tu» disse Mackintosh. «Sei più pratico di queste cose».

Aveva un terribile mal di testa. Era come se tante bestioline selvagge vi battessero dal di dentro, cercando di uscire. Rimasero a guardare l'effetto dell'iniezione. Dopo un poco Walker aprì lentamente gli occhi. Sembrava non capisse dov'era.

«Non agitarti» disse Mackintosh. «Sei a casa. Sei al sicuro».

Le labbra di Walker si atteggiarono a un vago sorriso.

«Mi hanno beccato» sussurrò.

«Manderò subito Jervis ad Apia con la sua barca a motore. Al più tardi domani pomeriggio avremo qui un medico».

Il vecchio rispose solo dopo una lunga pausa.

«Sarò già morto».

Un'espressione orribile attraversò il volto esangue di Mackintosh. Si sforzò di ridere.

«Che stupidaggine! Te ne stai tranquillo e ti rimetterai in sesto».

«Dammi da bere» disse Walker. «Qualcosa di forte».

Con mano tremante Mackintosh versò metà whisky e metà acqua, e resse il bicchiere mentre Walker beveva avidamente. Sembrò rinvigorito. Emise un lungo sospiro e il suo faccione carnoso riacquistò un po' di colore. Mackintosh si sentiva terribilmente inetto. Stava lì e lo fissava.

«Dimmi cosa posso fare» disse.

«Non c'è niente da fare. Lasciami tranquillo. Sono spacciato».

Faceva pietà coricato su quel lettone; un vecchio grosso, gonfio, ma così debole, così smunto, era straziante. Poi il riposo sembrò schiarirgli un po' le idee.

«Avevi ragione, Mac» disse all'improvviso. «Tu mi avevi avvisato».

«Quant'è vero Dio, avrei dovuto venire con te».

«Sei un brav'uomo, Mac; peccato che non bevi».

Ci fu un altro lungo silenzio; ormai era chiaro che Walker si stava spegnendo. Aveva un'emorragia interna e anche Mackintosh, che di medicina non sapeva niente, capiva che al capo rimanevano forse un paio d'ore di vita. Rimase impalato accanto al letto. Walker giacque forse mezz'ora con gli occhi chiusi, poi li aprì.

«Ti daranno il mio posto» disse lentamente. «L'ultima volta che sono stato ad Apia gli ho detto che sei in gamba. Finisci la mia strada. Voglio che venga portata a termine. Tutto attorno all'isola».

«Non lo voglio, il tuo posto. Ti rimetterai».

Walker scosse la testa, stremato.

«Questa è la mia ora. Sii leale con loro, quello è l'importante. Sono dei bambini. Non devi mai dimenticarlo. Devi essere fermo, ma anche gentile. E devi essere giusto. Non gli ho mai spillato un centesimo. In vent'anni non sono riuscito a mettere da parte neanche cento sterline. La cosa importante è la strada. Finisci la strada».

Mackintosh emise qualcosa di molto simile a un singhiozzo.

«Sei un brav'uomo, Mac. Mi sei sempre piaciuto».

Chiuse gli occhi, e Mackintosh pensò che non li avrebbe riaperti mai più. Dovette bere qualcosa tanto gli si era seccata la bocca. Il cuoco cinese gli portò silenziosamente una sedia. Restò ad aspettare accanto al letto. Non aveva idea di quanto tempo fosse passato. La notte non aveva fine. All'improvviso uno degli astanti scoppiò in un pianto incontrollato, forte, come un bambino, e solo allora Mackintosh si rese conto che la stanza era gremita di indigeni. Erano accovacciati per terra, uomini e donne, fissavano il letto.

«Cosa fa qui questa gente?» chiese Mackintosh. «Non devono. Mandali via, via, mandali via tutti».

Le sue parole parvero destare Walker, che riaprì gli occhi ormai annebbiati. Voleva dire qualcosa, ma era così debole che Mackintosh dovette tendere le orecchie.

«Lasciali restare. Sono i miei figli. È giusto che stiano qui».

Mackintosh si rivolse agli indigeni.

45

«Restate dove siete. Vi vuole qui. Ma in silenzio».

Sulla faccia bianca del vecchio apparve un fievole sorriso.

«Avvicinati» disse.

Mackintosh si chinò. Walker aveva gli occhi chiusi e le sue parole erano come i mormorii del vento nelle fronde delle palme da cocco.

«Dammi un altro drink. Devo dirti una cosa».

Stavolta Mackintosh gli diede un whisky liscio. Walker raccolse le forze in un ultimo sforzo di volontà.

«Non montarci sopra un casino. Nel '95 durante i disordini ammazzarono dei bianchi, e arrivò la flotta a bombardare i villaggi. Uccisero un sacco di gente che non c'entrava niente. Quelli di Apia sono degli imbecilli. Se ci si mettono, va a finire che puniscono chi non c'entra. Io non voglio che si punisca nessuno».

Fece una pausa per riprendere fiato.

«Devi dire che è stato un incidente. Nessuno ne ha colpa. Promettimelo».

«Farò tutto quello che vuoi».

«Sei in gamba. Uno dei migliori. Sono dei bambini. Io sono il loro padre. Un padre non lascia i figli nei pasticci, se può evitarlo».

Dalla sua gola uscì l'ombra di una risata. Era inquietante, macabra.

«Tu sei un tipo religioso, Mac. Come fa quella del "perdonali"? Hai in mente?».

Mackintosh per un po' non rispose. Gli tremavano le labbra.

«Perdonali perché non sanno quello che fanno?».

«Esatto. Perdonali. Li ho amati, sai, li ho sempre amati».

Sospirò. Le sue labbra si mossero flebilmente, e per udire Mackintosh dovette avvicinare l'orecchio fino quasi a toccarle.

«Tienimi la mano» disse.

Mackintosh ebbe un singulto. Il cuore gli si strinse in uno spasmo. Prese la mano del vecchio, ormai debole e fredda, una manaccia ruvida, e la strinse nelle proprie. E così rimase, finché quasi non cadde dalla sedia quando un lungo rantolo improvviso ruppe il silenzio. Fu terribile e sovrannaturale. Walker era morto. Gli indigeni si misero a gridare. I visi erano inondati di lacrime, si battevano il petto.

Mackintosh liberò la mano da quella del morto e barcollando, come uno ubriaco di sonno, lasciò la stanza. Andò al cassetto chiuso a chiave della sua scrivania e prese la rivoltella. Scese in riva al mare e si avviò nella laguna. Fece bene attenzione a dove metteva i piedi, per non incespicare nei coralli; si spinse finché l'acqua gli arrivò all'ascella. Poi si sparò in testa.

Un'ora più tardi, cinque o sei esili squali grigi sguazzavano e si dibattevano nel punto dove era caduto.

IMPRONTE NELLA GIUNGLA

Non c'è posto in tutta la Malesia più affascinante di Tanah Merah. Dà sul mare e le sue spiagge sono orlate di casuarine. Gli uffici governativi si trovano ancora nella vecchia Raad Huis costruita dagli olandesi quando queste terre erano loro; in cima alla collina ci sono le rovine grigie del forte grazie al quale i portoghesi mantennero il dominio sugli indigeni riottosi. Tanah Merah ha una sua storia: nelle ampie case labirintiche dei mercanti cinesi, con le loro logge affacciate sul mare dove al fresco della sera si gode la brezza salmastra, abitano famiglie giunte qui tre secoli fa. Molti hanno scordato la lingua nativa e comunicano tra loro in malese e in un inglese pidgin. L'immaginazione qui indugia volentieri, anche perché in genere, negli Stati malesi federati, il passato non si spinge oltre la memoria dei padri.

Tanah Merah è stata a lungo il mercato più frenetico di questa parte d'Oriente e quando i velieri e le giunche solcavano ancora i mari della Cina il suo porto era gremito di imbarcazioni. Ma ora è morta. Ha l'aria triste e romantica di tutti quei posti che, importanti un tempo, vivono nel ricordo dell'antico splendore. È un paesino sonnolento, e gli stranieri che ci arrivano perdono presto la vitalità originaria e finiscono per far proprie le abitudini dimesse e letargiche del luogo. Le impennate nella produzione della gomma non le recano alcuna prosperità, e i conseguenti crolli ne affrettano il declino.

Il quartiere europeo è molto silenzioso. È ordinato e pulito. Le case dei bianchi – impiegati governativi e agenti delle compagnie –, piacevoli bungalow ariosi all'ombra di grandi cassie, danno su un immenso *padang*, verdissimo e ben tenuto come i prati delle cattedrali; e di fatto in quest'angolo di Tanah Merah c'è qualcosa di quieto e recluso che ricorda il recinto di Canterbury.

Il club, un edificio spazioso ma fatiscente, si affaccia sul mare; ha un'aria negletta, e quando ci entri ti sembra di essere capitato in un posto chiuso per restauri, come se approfittando avventatamente di una porta aperta fossi finito dove non sei desiderato. La mattina puoi trovarci un paio di piantatori arrivati dalle tenute per concludere un affare, seduti a bere un gin sling prima di rimettersi in strada; nel tardo pomeriggio una o due signore che sfogliano con aria furtiva vecchi numeri della «Illustrated London News». Di sera alcuni uomini ciondolano attorno al biliardo, guardando le partite e bevendo *suka*. Ma di mercoledì il club è un po' più animato: nella grande sala al primo piano viene sistemato il grammofono e la gente arriva da tutta la regione per ballare. Talvolta ci sono più di una dozzina di coppie, e si riesce perfino a organizzare due tavoli di bridge.

Fu in una di queste occasioni che incontrai i Cartwright. Ero ospite di un tale di nome Gaze, il capo della polizia. Gaze mi raggiunse nella sala da biliardo e mi chiese se volevo fare il quarto a bridge. I Cartwright erano piantatori, venivano a Tanah Merah ogni mercoledì perché la figlia si svagasse un po'. Erano persone molto in gamba, disse Gaze, tranquille e discrete, e giocavano bene a bridge. Lo seguii nella sala da gioco e me li presentò. Erano già seduti, e Mrs Cartwright stava mescolando le carte. Osservare il modo competente con cui lo faceva mi ispirò fiducia. Prendeva metà mazzo in ciascuna mano – grandi mani forti –, infilava con destrezza gli angoli di una metà in quelli dell'altra e poi con un gesto preciso le mischiava con uno schiocco. Sembrava un gioco di prestigio. I giocatori di carte sanno bene che per riuscirci con tanta perfezione ci vuole una pratica continua, che chi le sa mischiare in quel modo nutre per le carte un amore particolare.

«Vi spiace se io e mio marito giochiamo insieme?» chiese Mrs Cartwright. «Non ci divertiamo a spillarci quattrini a vicenda».

«Non c'è alcun problema».

Tagliammo il mazzo e Gaze ed io ci sedemmo.

Mrs Cartwright pescò un asso e toccò a lei distribuire; mentre lo faceva, rapida e precisa, chiacchierava di questioni locali con Gaze. Ma mi ero accorto che mi stava osservando. Aveva tutta l'aria di essere scaltra, ma di indole buona.

Era sulla cinquantina (anche se in Oriente, dove la gente invecchia anzitempo, è difficile indovinarne l'età), e i capelli bianchi erano molto trasandati; con un impaziente gesto della mano continuava a gettare indietro un lungo ciuffo che tornava a caderle sulla fronte. Ti veniva da chiederti perché non si risparmiasse tanto fastidio con un paio di forcine. Aveva grandi occhi azzurri, ma slavati e un po' stanchi; il viso era rugoso e smorto; credo fosse la bocca a conferirle quell'espressione ironica, caustica ma tollerante che mi parve così caratteristica. Capivi subito di aver di fronte una donna che aveva le idee chiare e nessuna paura di esprimerle. Era una giocatrice ciarliera (cosa che alcuni criticano aspramente, ma che non mi disturba affatto; non vedo perché ci si debba comportare al tavolo da gioco come a un funerale), e fu presto palese il suo talento naturale per il motteggio, piacevolmente acido, ma così spassoso che bisognava essere uno sciocco per prendersela a male. Di tanto in tanto faceva un commento talmente sarcastico che occorreva molto senso dell'umorismo per riuscire a riderne, ma era senz'altro pronta a incassare tanto quanto a punzecchiare. La sua grande bocca sottile si allargava in un sorriso e le brillavano gli occhi quando avevi la fortuna di risponderle per le rime e il tavolo rideva di lei.

La trovai una persona molto gradevole. Mi piaceva la sua franchezza, mi piaceva la sua prontezza di spirito, mi piaceva la sua aria schietta. Mai incontrata una donna che badasse così poco al proprio aspetto. Non solo i capelli erano trasandati, tutto in lei era sciatto; portava una blusa di seta accollata, ma per il caldo aveva aperto i primi bottoni mettendo in mostra un collo smunto e vizzo; la blusa era spiegazzata e poco pulita, poiché fumava innumerevoli sigarette e si copriva di cenere. Quando si alzò un momento a parlare con qualcuno, vidi che la gonna azzurra era tutta sfilacciata ai bordi e avrebbe avuto bisogno di una bella spazzolata, e che portava delle scarpacce a tacco basso. Ma andava bene così. Tutto quel che indossava si intonava perfettamente al suo carattere.

E giocare a bridge con lei era un piacere. Aveva un gioco velocissimo, senza mai un'esitazione; all'esperienza combinava un talento naturale. Il gioco di Gaze le era familiare, ma io ero un estraneo e ci mise un attimo a prendermi le misure. Il gioco di squadra con il marito era ammirevole; lui era cauto e giudizioso, lei, conoscendolo bene, sapeva essere avventata con sicurezza e brillante con prudenza. Gaze, con sconsiderato ottimismo, contava che gli avversari non approfittassero dei suoi errori, e coi Cartwright non avevamo nessuna speranza. Perdemmo un rubber dopo l'altro, senza poter fare altro che sorridere come se la cosa ci facesse piacere.

«Io non so cos'hanno queste carte» finì per lamentarsi Gaze. «Riusciamo a perdere anche quando abbiamo in mano tutto il mazzo».

«Di certo non ha niente a che fare col vostro modo di giocare,» rispose Mrs Cartwright, fissandolo dritto con i suoi occhi azzurro pallido «dev'essere sfortuna bella e buona. Tuttavia, se nell'ultima mano tu non avessi confuso cuori e quadri, avresti potuto salvare la partita».

Gaze si mise a illustrare nel dettaglio come si era prodotta la disgrazia che ci era costata così cara, ma Mrs Cartwright, con gesto agile, dispose le carte a ventaglio perché pescassimo. Cartwright guardò l'ora.

«Questo sarà l'ultimo, cara» disse.

«Oh, davvero?». Lei diede un'occhiata all'orologio e chiamò un giovane che stava attraversando la sala. «Mr Bullen, se va di sopra può dire a Olive che tra qualche minuto ce ne andiamo?». Si rivolse a me. «Ci vuole una buona mezz'ora per tornare alla tenuta e il povero Theo si deve alzare all'alba».

«Oh, be', veniamo solo una volta a settimana,» disse Cartwright «e per Olive è l'unica occasione di spassarsela un po'».

Cartwright mi parve vecchio e stanco. Era di media statura, con una pelata lucida, ispidi baffetti grigi e occhiali dalla montatura d'oro. Portava dei pantaloni di tela bianchi e una cravatta bianca e nera. Era piuttosto ben vestito; palesemente prestava molta più attenzione al vestiario di quanto non facesse la moglie. Parlava poco, ma si vedeva che apprezzava l'umorismo caustico della consorte, e a volte le rispondeva felicemente a tono. Erano senz'altro ottimi amici. Faceva piacere osservare un affetto così saldo e tollerante fra persone ormai anziane che devono aver vissuto insieme per tanti anni.

Ci vollero solo due mani per finire il rubber, e avevamo appena ordinato l'ultimo gin bitter quando arrivò Olive.

«È vero che ve ne volete già andare, mammina?» domandò.

Mrs Cartwright guardò la figlia con tenerezza.

«Sì, cara. Sono quasi le otto e mezza. Non ceneremo prima delle dieci».

«Ma al diavolo la cena» esclamò Olive allegramente.

«Lasciamole fare un ultimo ballo prima di andare» propose Cartwright.

«Neanche mezzo. Hai bisogno di riposare come si deve».

Cartwright guardò Olive con un sorriso.

«Se tua madre ha deciso così, mia cara, tanto vale arrenderci senza tante storie».

«È una donna risoluta» disse Olive, carezzando affettuosamente la guancia rugosa della madre.

Mrs Cartwright le diede un buffetto sulla mano e la baciò.

Olive non era molto carina, ma aveva un'aria decisamente simpatica. Avrà avuto diciannove o vent'anni, e mostrava ancora la pienezza di forme tipica di quell'età; con gli anni si sarebbe fatta più sottile e attraente. Non c'era traccia della determinazione che conferiva tanto carattere al viso della madre, aveva preso piuttosto dal padre; aveva i suoi occhi scuri, il naso leggermente aquilino, e l'espressione mite e arrendevole. Ma era il ritratto della salute, guance rosse e occhi brillanti. Possedeva una vitalità che lui aveva perso da tempo. Sembrava proprio la tipica inglesina, gioiosa, con un ottimo carattere e una gran voglia di divertirsi.

Dopo averli salutati, io e Gaze ci incamminammo verso casa sua.

«Cosa ne pensa dei Cartwright?» mi domandò.

«Oh, mi sono piaciuti. Devono essere un bene raro in un posto come questo».

«Sì, e sarebbe bello vederli più spesso. Ma conducono una vita molto appartata».

«Dev'essere noioso per la ragazza. Mentre i genitori sembrano assolutamente soddisfatti di starsene tra di loro».

«Sì, è un matrimonio riuscito».

«Olive è tutta suo padre, non trova?».

Gaze mi guardò di sottecchi.

«Cartwright non è suo padre. Mrs Cartwright era vedova quando lui l'ha sposata. Olive è nata quattro mesi dopo la morte del padre».

«Ma pensa!».

Cercai di caricare l'esclamazione di tutta la sorpresa, l'interesse e la curiosità possibili. Ma Gaze non aggiunse più nulla e camminammo fino a casa in silenzio. Il boy ci aspettava sulla porta, e dopo un ultimo gin pahit ci sedemmo a tavola.

Gaze sulle prime era ciarliero. Le restrizioni sull'esportazione della gomma avevano fatto crescere in modo considerevole il contrabbando, ed era suo dovere tenere a freno questa piaga. Quel giorno avevano catturato due giunche e lui gongolava per il successo. I magazzini erano pieni di gomma confiscata che di lì a poco sarebbe stata data solennemente alle fiamme. A un certo punto però si zittì e terminammo di mangiare senza più dire una parola. I boy servirono il caffè e il brandy, e accendemmo i *cheroot*. Gaze si allungò sulla sedia; fissava un po' me e un po' il suo brandy con aria pensosa. I boy erano usciti ed eravamo soli.

«Conosco Mrs Cartwright da più di vent'anni» disse poi, lentamente. «Da giovane non era affatto male, trascurata, sì, ma in modo quasi attraente. Era sposata con un uomo di nome Bronson. Reggie Bronson. Un piantatore. Gestiva una piantagione su a Selantan, e io ero distaccato ad Alor Lipis; non era grande com'è adesso, l'intera comunità contava al massimo venti persone, ma c'era un piccolo club niente male, e posso proprio dire che ce la spassavamo un mondo. La prima volta che incontrai Mrs Bronson la ricordo come fosse ieri. A quei tempi non c'erano macchine, e i Bronson erano arrivati in bicicletta. Non aveva l'aria decisa che ha ora. Era molto più sottile, gli occhi erano di uno splendido azzurro, aveva un bel colorito e una gran massa di capelli scuri. Se si fosse curata un po' di più, sarebbe stata uno schianto. Ma anche così era la più bella donna della zona».

Cercai di farmi un'idea di come potesse essere stata Mrs Cartwright – a quel tempo Mrs Bronson – partendo dal suo aspetto attuale e dalla descrizione non molto dettagliata di Gaze. In quella donna ben in carne, che sedeva pesantemente al tavolo da bridge, cercai di riconoscere una giovane snella dai movimenti vivaci e dai gesti aggraziati. Ora il mento era spigoloso e il naso pronunciato, ma sono tratti che la morbidezza della gioventù sa mascherare: doveva essere affascinante con la pelle bianca e rosa e gli abbondanti capelli bruni scompigliati. Allora avrà portato una lunga gonna, un corsetto e un cappello a falde larghe. O le donne in Malesia indossavano ancora quei caschi coloniali che si vedono nelle vecchie riviste illustrate?

«Non l'ho più vista per... uff, per quasi vent'anni» proseguì Gaze. «Sapevo che viveva negli Stati malesi federati, ma quando presi servizio qui fui estremamente sorpreso di ritrovarmela al club, proprio come a Selantan tanto tempo prima. Certo, ora ha i suoi anni ed è cambiata parecchio. Vederla con una figlia grande mi fece una certa impressione, mi resi conto di come passa il tempo; l'ultima volta che l'avevo vista ero un giovanotto e adesso, santa pazienza, sono a un paio d'anni dalla pensione. Un brutto colpo, sa».

Gaze, un ghigno dolente su quella sua brutta faccia, mi guardò con vaga indignazione, come se in qualche modo io avessi potuto ostacolare la marcia frettolosa degli anni che premono gli uni sugli altri.

«Non che io sia un lattante» risposi.

«Lei non ha trascorso tutta la vita in Oriente. Ti invecchia prima del tempo. Qui uno a cinquant'anni è anziano, e a cinquantacinque è da buttare».

Ma non avevo nessuna intenzione di lasciarlo disquisire sulla vecchiaia.

«La riconobbe quando la rincontrò?» chiesi.

«Be', sì e no. Mi parve subito familiare, ma non capii chi fosse. Pensai a una conoscenza occasionale, magari incrociata su una nave quando andavo in congedo. Ma appena aprì bocca la riconobbi al volo. Riconobbi il pungente luccichio degli occhi e il tono brusco della voce. In quella voce c'era qualcosa che diceva: sei un po' fesso, ragazzo mio, ma non sei cattivo e, mano sul cuore, mi sei simpatico».

«Ne dice di cose, il suono di quella voce» sorrisi.

«Mi venne incontro e mi strinse la mano. "Come sta, maggiore Gaze? Si ricorda di me?" mi disse.

«"Ma certo che mi ricordo".

56

«"Ne è passata di acqua sotto i ponti dall'ultima volta che ci siamo visti. E nessuno dei due è più giovane come allora. Hai già incrociato Theo?".

«Lì per lì non capii a chi si riferisse. Devo aver avuto un'aria un po' stupida perché fece un sorrisino, quel suo sorrisino beffardo che conoscevo bene, e mi aggiornò.

«"Sai, io e Theo ci siamo sposati. Mi è sembrata la cosa migliore da fare. Io ero sola e lui ci teneva tanto".

«"Ma certo, me l'avevano detto" risposi. "Spero siate felici insieme".

«"Oh, sì. È un tale tesoro... Sarà qui a minuti. Sarà così contento di vederti".

«In realtà, pensavo di essere l'ultimo uomo al mondo che Theo avrebbe voluto incontrare. E lo stesso valeva per lei. Ma le donne sono fatte a modo loro».

«Perché secondo lei Mrs Cartwright non la voleva vedere?» domandai.

«Ci arriverò più tardi» disse Gaze. «Poi ci raggiunse anche Theo. Non so perché lo chiamo Theo; l'ho sempre chiamato Cartwright, e ho sempre pensato a lui come Cartwright. Rivederlo fu un vero shock. Lo sa anche lei com'è adesso; io mi ricordavo un giovanotto ricciuto, fresco e ben vestito. Era sempre azzimato, era atletico e si prendeva cura di sé, gli piaceva tenersi in esercizio. Ora che ci ripenso, non era per niente brutto, non un tipo piazzato, ma con una certa grazia, sa, longilineo. Quando scorsi quel vecchio occhialuto, curvo, pelato e cadaverico non credetti ai miei occhi; non l'avrei mai riconosciuto. Ma comunque sembrò contento di rivedermi, e interessato a me; poco effusivo, però schivo lo era sempre stato e non mi aspettavo altrimenti.

«"Sei sorpreso di ritrovarci qui?" mi chiese.

«"Be', non avevo la minima idea di dove foste finiti".

«"Noi i tuoi spostamenti li abbiamo più o meno seguiti. Ogni tanto leggevamo il tuo nome sul giornale. Uno di questi giorni devi venire a farci visita alla tenuta. Siamo lì da anni ormai, e suppongo che ci staremo finché rincasiamo per davvero. Sei mai tornato ad Alor Lipis?".

«"No, mai" risposi.

«"Era un bel posticino. Mi dicono che adesso si è ingrandito. Non ci sono più tornato neanch'io".

«"Non è certo legato a dei bei ricordi, per noi" disse Mrs Cartwright.

«Gli chiesi se volevano qualcosa da bere e chiamammo il boy. Avrà notato che Mrs Cartwright non disdegna un bicchierino; non voglio dire che si ubriachi o niente del genere, ma i suoi *stangah* li manda giù come un uomo. Non potevo non osservarli con una certa curiosità. Sembravano perfettamente felici; mi sembrò di capire che non se la passavano male, e anzi più tardi scoprii che erano piuttosto agiati. Possedevano una gran bella macchina, e quando uscivano non si facevano mancare niente. Avevano uno splendido rapporto. Fa sempre piacere incontrare due persone sposate da parecchi anni che preferiscono palesemente la compagnia reciproca a quella di qualsiasi altro. È un matrimonio senz'altro riuscito. E sono entrambi molto attaccati a Olive, sono fieri di lei. Specialmente Theo».

«Sebbene sia solo la sua figliastra?» chiesi.

«Sebbene sia solo la sua figliastra» rispose Gaze. «Ci si sarebbe aspettati che prendesse il suo nome. Invece no. Lo chiama papà, certo, è l'unico papà che ha conosciuto, ma le sue lettere le firma Olive Bronson».

«E Bronson, che tipo era?».

«Bronson? Era un omaccione con un cuore d'oro, la voce profonda e una risata tonante, un pezzo d'uomo, e un grande atleta. Non aveva niente di particolare, ma era l'onestà fatta persona. Aveva un faccione paonazzo e i capelli rossi. Ora che ci ripenso, non ho mai visto nessuno sudare tanto. Quell'uomo grondava acqua come una fontana; quando giocavamo a tennis si portava sempre un asciugamano in campo».

«Non sembra un insieme molto attraente».

«Ma no, era un bell'uomo. Sempre in forma. Ci teneva. Non aveva molto da dire, se non sui rubber e i game, del tennis intendo, e il golf e la caccia; dubito che leggesse anche solo un libro all'anno. Era il tipico rampollo di scuola privata. Avrà avuto trentacinque anni quando l'ho conosciuto, ma aveva la testa di un diciottenne. Ha mai fatto caso a quante sono le persone che, una volta arrivate qui in Oriente, sembrano smettere di crescere?».

Ci avevo fatto caso eccome. Una delle cose che più sconcerta il viaggiatore è vedere dei robusti signori di mezza età, ormai quasi calvi, che parlano e si comportano come adolescenti. Ti viene da chiederti se passato il Canale di Suez le idee hanno smesso di attraversargli il cervello. Sebbene sposati e padri di famiglia, e forse a capo di una grossa azienda, continuano a guardare la vita dal punto di vista di un liceale.

«Ma non era sciocco» proseguì Gaze. «Il suo lavoro lo conosceva a menadito. La sua tenuta era la meglio amministrata della regione, e sapeva come gestire i braccianti. Era davvero un bravo tipo, e se pure ti dava un po' sui nervi non potevi non volergli bene. Era generoso coi soldi, e sempre pronto a dare una mano a chiunque. E fu proprio per questo che a un certo punto Cartwright comparve sulla scena».

«Bronson e la moglie andavano d'accordo?».

«Credo proprio di sì. Anzi, ne sono certo. Lui così gioviale e lei allegra e vivace. Lei parlava fuori dai denti, sa. Se vuole fa morire dal ridere ancora adesso, ma in genere nello scherzo c'è sempre nascosto un pungiglione; quando era giovane e sposata con Bronson, era divertimento allo stato puro. Era gioiosa e le piaceva spassarsela. Non teneva mai a freno la lingua, ma faceva parte del suo carattere, mi spiego? Era così aperta e schietta che non ti importava quante te ne dicesse. Sembravano davvero felici insieme.

«La loro tenuta era a circa cinque miglia da Alor Lipis. Avevano un calesse e arrivavano ogni sera verso le cinque. Certo, la comunità era piccola e prevalentemente maschile. In tutto c'erano forse sei donne. I Bronson erano una benedizione del cielo. Appena arrivavano, l'atmosfera si animava; abbiamo trascorso dei bei momenti in quel piccolo club. Da allora ho pensato spesso a loro, e alla fine credo di non essermi mai divertito tanto come in quel periodo. Vent'anni fa, tra le sei e le otto e mezza, da Aden a Yokohama non c'era un posto più vivace del piccolo club di Alor Lipis.

«Una sera Mrs Bronson ci disse che aspettavano una visita, e qualche giorno dopo arrivarono con Cartwright. Era un vecchio amico di Bronson, erano stati a scuola insieme a Marlborough, o un posto di quelli, ed erano arrivati in Oriente con la stessa nave. Poi il mercato della gomma era entrato in crisi e un sacco di gente aveva perso l'impiego. Cartwright era uno di quelli. Era rimasto senza lavoro per quasi un anno, e di mezzi propri non ne aveva; allora i piantatori erano pagati ancora peggio di adesso, e uno doveva essere più che fortunato per riuscire a mettere da parte qualche soldo per i tempi grami. Cartwright era andato a Singapore. Sa, vanno tutti lì, quando c'è un crollo. Ed è dura, l'ho visto con i miei occhi; ho visto piantatori che dormivano per strada perché non avevano neanche di che pagarsi un tetto per la notte. Li ho visti fermare dei perfetti sconosciuti all'uscita dello Europe e chiedergli un dollaro per mangiare. E dubito che Cartwright fosse messo molto meglio.

«Alla fine scrisse a Bronson e gli chiese se non potesse fare qualcosa per lui. Bronson gli rispose di andare a stare da loro finché le cose non miglioravano, almeno non si sarebbe dovuto preoccupare del vitto e dell'alloggio; Cartwright colse l'occasione al volo, ma Bronson dovette perfino inviargli il denaro per il treno. Cartwright arrivò ad Alor Lipis senza un soldo. Bronson invece aveva del suo, due o trecento sterline all'anno, credo, e anche se gli avevano ridotto lo stipendio non aveva perso il posto, quindi se la passava meglio di tanti altri piantatori. Quando Cartwright arrivò, Mrs Bronson gli disse di considerarsi a casa sua e di trattenersi quanto gli pareva».

«Molto gentile da parte sua, no?».

«Molto».

Gaze si accese un altro *cheroot* e si riempì il bicchiere.

C'era una gran pace, e a parte l'occasionale gracidio dei *chik-chak* il silenzio era assoluto. Sembrava che fossimo totalmente soli nella notte tropicale, sa il cielo a che distanza dalla prima abitazione umana. Gaze rimase zitto così a lungo che alla fine fui costretto a dire qualcosa.

«Che tipo di uomo era Cartwright a quel tempo?» domandai. «Giovane, certo, e mi ha già detto che era piacente; ma come persona?».

«Mah, a dirle la verità, non gli feci mai troppo caso. Era un tipo gradevole e senza pretese. Ora è molto calmo, come di certo avrà notato; bene, non era molto vivace neppure allora. Del tutto innocuo. Gli piaceva leggere, e suonava il piano mica male. Non dava mai fastidio, non era mai di intralcio, ma non gli badavi mai veramente. Ballava bene, e questo alle donne non dispiaceva, ma era anche accettabile a biliardo e non male a tennis. Si inserì nella nostra piccola routine in modo naturale. Con ciò non voglio dire che la gente stravedesse per lui, ma andava d'accordo con tutti. Ovviamente ci dispiaceva per la sua situazione, come sempre quando uno è in difficoltà, ma non potevamo farci niente e così, be', lo accettammo fra noi e ci scordammo che non era lì da sempre. Arrivava ogni sera insieme ai Bronson, si pagava da bere come tutti gli altri, suppongo che Bronson gli avesse prestato qualcosa per le spese quotidiane. Era sempre molto educato. Rimango sul vago perché non mi ha lasciato nessuna impressione particolare; in Oriente si incontra talmente tanta gente, e lui sembrava essere un tipo qualunque. Fece di tutto per trovare un impiego, ma senza fortuna; il fatto è che di lavoro non ce n'era, e a volte sembrava che questo lo deprimesse. Rimase coi Bronson per oltre un anno. Ricordo che una volta mi disse:

«"Del resto, non posso vivere con loro per sempre. Sono d'una bontà infinita con me, ma c'è un limite a tutto".

«"Secondo me i Bronson sono molto felici di averti qui" gli avevo risposto. "Una piantagione non è un posto molto animato, e se è per il mangiare e il bere, che tu ci sia o meno non fa molta differenza"».

Gaze si interruppe di nuovo e mi guardò con una sorta di esitazione.

«Cosa c'è?» chiesi.

«Le sto raccontando questa storia molto male» disse. «Vado blaterando e blaterando. Non sono mica un romanziere, io, sono un poliziotto, e le sto descrivendo i fatti così come li vidi allora; e dal mio punto di vista, tutte le circostanze sono importanti; voglio dire, importanti per capire che tipo di gente era».

«Ma certo. Spari pure».

«Mi ricordo che qualcuno, una donna, forse la moglie del dottore, aveva chiesto a Mrs Bronson se non le pesava mai di avere un estraneo per casa. Sa, in posti come Alor Lipis non c'è molto di cui parlare, e se non si parlasse dei propri vicini non rimarrebbe niente del tutto.

«"Oh, no" aveva risposto. "Theo non è di nessun disturbo". Si era voltata verso il marito, che stava lì accanto intanto ad asciugarsi la faccia. "Ci fa piacere averlo con noi, non è vero?".

«"È un tipo a posto" aveva detto Bronson.

«"Come passa le sue giornate?".

«"Non saprei" aveva detto Mrs Bronson. "Qualche volta gira per la piantagione con Reggie, va un po' a caccia. Parla con me".

«"È sempre contento se può rendersi utile" aveva aggiunto Bronson. "L'altro giorno mi sentivo la febbre e lui si è occupato del mio lavoro mentre io me ne sono stato a letto felice e beato"».

«I Bronson non avevano figli?» domandai.

«No» rispose Gaze. «Non so perché, potevano certamente permetterselo».

Gaze si allungò sulla sedia. Si tolse gli occhiali e strofinò le lenti; erano molto spesse e gli deformavano orrendamente gli occhi. Senza occhiali non era così sgradevole. Il *chik-chak* sul soffitto emise il suo verso stranamente umano. Era come il ghigno di un bambino idiota.

«Bronson fu ucciso» disse Gaze di colpo.

«Ucciso?».

«Sì, assassinato. Non dimenticherò mai quella notte. Avevamo giocato a tennis, Mrs Bronson, la moglie del dottore, Theo Cartwright e io; poi eravamo passati al bridge. Cartwright non era entrato in partita e quando ci sedemmo al tavolo Mrs Bronson gli disse: "Bada, Theo, se giocherai a bridge nel modo schifoso in cui hai giocato a tennis, resteremo in maniche di camicia".

«Avevamo appena finito i nostri drink che lei chiamò il boy e ordinò un altro giro.

«"Butta giù questo," gli disse "e non dichiarare se non hai in mano gli onori e una sequenza completa".

«Bronson non si era visto; era andato a Kabulong in bicicletta a ritirare i soldi per pagare i suoi coolie, e sarebbe dovuto passare dal club al ritorno. La tenuta dei Bronson era più vicina ad Alor Lipis che a Kabulong, ma Kabulong era una piazza commerciale più importante e Bronson aveva la sua banca lì.

«"Reggie può subentrare quando arriva" disse Mrs Bronson.

«"È in ritardo, non vi sembra?" fece la moglie del dottore.

«"Eccome. Aveva detto che non ce l'avrebbe fatta per il tennis, ma che il bridge non se lo sarebbe perso. Ho come il sospetto che invece di tornare direttamente si sia fermato al club di Kabulong e in questo momento chissà cosa si sta bevendo, il ruffiano".

«"Oh, be', può farsene parecchi prima che gli facciano effetto" risi io.

«"Ma sta ingrassando, sai. Dovrà iniziare a starci attento".

«Nella sala da gioco c'eravamo solo noi, ma sentivamo la gente che parlava e rideva nella sala da biliardo. Erano tutti sull'allegro. Natale si avvicinava e ci si lasciava un po' andare. La sera di Natale ci sarebbe stata una festa danzante.

«In seguito mi ricordai che quando ci eravamo seduti la moglie del dottore aveva chiesto a Mrs Bronson se non fosse stanca.

«"Per niente" aveva risposto lei. "Perché dovrei esserlo?".

«Sul momento non capii perché fosse arrossita.

«"Temevo che il tennis ti avesse affaticata".

«"Ma no" aveva risposto Mrs Bronson, un tantino brusca, mi era sembrato, come se volesse tagliar corto; ma non capendo a cosa si riferissero mi tornò in mente solo più tardi.

«Dopo due o tre rubber, Bronson ancora non si era visto.

«"Ma cosa gli sarà successo?" aveva detto sua moglie. "Non riesco a capire perché tardi tanto".

«In genere Cartwright era sempre piuttosto silenzioso, ma quella sera non aveva neppure aperto bocca. Immaginai che fosse stanco e gli domandai cosa avesse fatto.

«"Niente di speciale" rispose. "Dopo mangiato sono uscito a sparare ai piccioni".

«"E come ti è andata?" chiesi.

«"Mah, ne ho presi mezza dozzina. Erano molto paurosi".

«Ma poi aggiunse: "Se Reggie ha fatto tardi, avrà pensato che non valesse la pena di venire fin qui. Si sarà fatto un bagno e rientrando lo troveremo addormentato in poltrona".

«"Non è una pedalata da niente, da Kabulong" disse la moglie del dottore.

«"Ma lui non segue la strada" aveva spiegato Mrs Bronson. "Passa per la scorciatoia nella giungla".

«"E ci riesce, in bicicletta?" chiesi.

«"Certo, è un ottimo sentiero. Si risparmiano almeno tre chilometri".

«Avevamo appena iniziato un nuovo rubber quando il cameriere venne a dirci che fuori c'era un sergente di polizia che voleva parlarmi.

«"Cosa vuole?" gli domandai.

«Il cameriere disse che non lo sapeva, ma che con lui c'erano due coolie.

«"All'inferno" dissi. "Se la vedrà brutta se mi disturba per niente".

«Dissi al cameriere che sarei uscito, finii la mano e mi alzai.

«"Ci metto un minuto" dissi, e chiesi a Cartwright di distribuire le carte al posto mio.

«Trovai il sergente e due malesi che mi aspettavano sulle scale. Gli chiesi cosa diavolo volesse. Può immaginarsi la mia costernazione quando mi disse che i malesi avevano trovato un morto sul sentiero di Kabulong. Pensai subito a Bronson.

«"Un morto?" esclamai.

«"Sì. Gli hanno sparato alla testa. È un bianco coi capelli rossi".

«A quel punto fui certo che si trattasse di Reggie Bronson, e di fatto uno dei due malesi menzionò la sua tenuta e disse che l'aveva riconosciuto, era lui. Ero sconvolto. E lì accanto c'era Mrs Bronson che aspettava impaziente che tornassi per guardare le mie carte e fare la mia dichiarazione. Per un istante, davvero non seppi che fare. Ero completamente perso, non volevo infliggerle un colpo così terribile e inatteso senza prepararla in alcun modo, ma non riuscivo a pensare a niente. Dissi al sergente e ai coolie di aspettarmi e rientrai al club. Mi feci forza. Quando entrai nella sala Mrs Bronson disse: "Sei stato via un pezzo". Poi si accorse della mia espressione. "Qualcosa non va?". La vidi stringere i pugni e impallidire, proprio come se avesse avuto un cattivo presagio.

«"È successa una disgrazia" dissi, con una voce così roca che mi spaventai da solo. "Un incidente. Tuo marito è ferito".

«Lei emise un rantolo prolungato, non era un grido, piuttosto lo strano rumore di un pezzo di seta lacerata.

«"Ferito?".

«Balzò in piedi e con gli occhi che le uscivano dalle orbite fissò Cartwright. Lui era costernato; si afflosciò sulla sedia pallido come un morto.

«"Ferito grave, molto grave, temo" aggiunsi.

«Sapevo che dovevo dirle la verità, e che dovevo dirgliela lì, ma non ce la facevo a dirgliela subito.

«"È..." – le labbra le tremavano e non riusciva quasi a formulare le parole. "È... cosciente?".

«Per un attimo la guardai senza rispondere. Avrei dato mille sterline pur di non doverlo fare.

«"No, temo di no".

«Lei mi scrutò come se volesse leggermi direttamente nel cervello.

«"È morto?".

«Mi decisi a dirla tutta.

«"Sì. Era già morto quando l'hanno trovato".

«Lei si lasciò cadere sulla sedia e scoppiò a piangere.

«"Oh, Dio" sussurrava. "Oh, Dio".

«La moglie del dottore le si mise accanto e l'abbracciò. Mrs Bronson, il viso fra le mani, piangeva istericamente dondolandosi avanti e indietro. Cartwright, livido in volto e con la bocca aperta, sedeva immobile e la fissava. Sembrava si fosse fatto di pietra.

«"Oh, cara, cara" diceva la moglie del dottore. "Forza, devi cercare di farti forza". Poi rivolta a me: "Portale un bicchier d'acqua e chiama Harry".

«Harry era suo marito, stava giocando a biliardo. Andai a dirgli quel che era successo.

«"Un bicchier d'acqua un corno" disse. "Ci vuole una bella sorsata di brandy".

«Le portammo il brandy e la obbligammo a berlo; gradualmente la violenza delle sue emozioni scemò. Dopo qualche minuto la moglie del dottore riuscì a portarla in bagno a lavarsi la faccia. Intanto mi ero deciso sul da farsi. Cartwright era di ben poco aiuto, era a pezzi, ma si poteva ben capire che per lui fosse un colpo terribile, dopotutto Bronson era il suo migliore amico, e aveva fatto di tutto per lui.

«"Mi sa che un goccio di brandy farà bene anche a te, vecchio mio" gli dissi.

«Si sforzò di reagire.

«"Sono sconvolto, sai..." disse. "Io... non...". Si interruppe, come se la sua mente si fosse proiettata altrove; era ancora pallido da far paura; tirò fuori un pacchetto di sigarette e cercò di accendere un fiammifero, ma le mani gli tremavano tanto che quasi non ci riuscì.

«"Sì, mi ci vuole un brandy".

«"Boy!" gridai, e poi a Cartwright: "Allora, ce la fai ad accompagnare Mrs Bronson a casa?".

«"Sì, certo" rispose.

«"Ottimo. Il dottore ed io andremo coi coolie e qualche agente a vedere il corpo".

«"Lo riporterete al bungalow?" chiese.

«"Credo sia meglio portarlo direttamente all'obitorio" mi anticipò il dottore. "Dovrò fare l'autopsia".

«Mrs Bronson ritornò al tavolo; era impressionante come fosse riuscita a calmarsi in così poco tempo. Le dissi cosa intendevo fare. La moglie del dottore, brava donna, si offerse di accompagnarla e di passare la notte al bungalow, ma lei si oppose. Disse che non ce n'era bisogno, e quando la moglie del dottore insistette – sa come certa gente vuole imporre la propria gentilezza alle persone in difficoltà – poco ci mancò che le rispondesse male.

«"No e poi no, ho bisogno di starmene sola" disse. "Devo stare sola. E poi c'è Theo".

«Montarono sul calesse, Theo prese le redini e si misero in strada. Dopo un po' ci avviammo anche noi, il dottore ed io, seguiti dal sergente e dai coolie. Avevo inviato il mio *seis* alla centrale, con l'ordine di mandare due agenti sul luogo del delitto. Ben presto superammo Mrs Bronson e Cartwright.

«"Tutto a posto?" gridai.

«"Sì" rispose lui.

«Per un bel tratto io e il dottore rimanemmo in silenzio; eravamo entrambi parecchio turbati. E io ero anche preoccupato. In un modo o nell'altro avrei dovuto scovare gli assassini, e prevedevo che sarebbe stata dura.

«"Crede sia stata una rapina?" mi chiese il dottore.

«Neanche mi avesse letto nel pensiero.

«"Non vedo altra spiegazione" risposi. "Sapevano che era andato a Kabulong a ritirare il denaro per i salari, e lo hanno aspettato sulla via del ritorno. Certo non avrebbe dovuto attraversare la giungla da solo, quando era risaputo che portava con sé dei mazzi di banconote".

«"L'ha fatto per anni" disse il dottore. "E non è l'unico".

«"Lo so. Quel che mi preoccupa è come faremo ad acciuffare l'assassino".

«"E se in qualche modo c'entrassero i due coolie che dicono di averlo trovato?".

«"No. Non ne avrebbero il coraggio. Forse un paio di cinesi potrebbero escogitare un piano simile, ma non dei malesi. Troppo paurosi. È chiaro che li terremo d'occhio. Se avessero soldi da buttare non ci metteremmo molto a scoprirlo".

«"È un colpo terribile per Mrs Bronson" disse il dottore. "Lo sarebbe stato in ogni caso, ma ora che aspetta un bambino...".

«"Non lo sapevo" lo interruppi.

«"No, per qualche ragione l'ha voluto tenere segreto. Mi è parso un comportamento strano".

«Fu allora che mi ricordai dello scambio tra Mrs Bronson e la moglie del dottore, e compresi come mai quella cara signora si preoccupasse.

«"È strano che sia rimasta incinta dopo tanti anni di matrimonio".

«"È una cosa che capita. Ma lei non se lo aspettava di certo. Quando venne da me e le dissi di cosa si trattava, prima svenne, poi scoppiò a piangere. E io che mi immaginavo che avrebbe fatto salti di gioia! Mi disse che a Bronson i bambini non piacevano e che già solo la notizia l'avrebbe indisposto, quindi mi fece promettere di non dire niente finché non avesse avuto modo di rivelarglielo a poco a poco".

«Ci pensai un po' su.

«"Lui era un tipo così allegro e caloroso che ti saresti aspettato che desiderasse dei bambini con tutto il cuore".

«"Eh, be', non si può mai dire. C'è gente egoista che preferisce evitarsi il fastidio".

«"E come l'ha presa quando lei gliel'ha detto? Magari era contento".

«"Non so nemmeno se gliel'abbia detto, alla fine. Certo non avrebbe potuto aspettare ancora a lungo; se non vado errato, dovrebbe essere al quinto mese".

«"Povero diavolo" dissi. "Sai, sono convinto che la notizia l'avrebbe reso felice".

«Proseguimmo in silenzio fino a dove la scorciatoia per Kabulong si biforca dalla strada. Qui ci fermammo ad aspettare il mio calesse, con a bordo il sergente e i due malesi. Per far luce ci portammo appresso i fanali anteriori. Lasciai il *seis* del dottore a guardia dei cavalli, e gli dissi di riferire agli agenti che ci avrebbero trovati lungo il sentiero. I coolie fecero strada con le lampade. Il sentiero era abbastanza largo, poteva passarci anche un carretto; prima che si costruisse la strada era la via principale tra Alor Lipis e Kabulong. Era battuto e ci si camminava bene. Qui e là, dove la superficie era sabbiosa, si vedevano chiaramente i solchi lasciati dalla bicicletta di Bronson nel viaggio di andata.

«Camminammo per una ventina minuti, in fila indiana, poi di colpo i coolie si fermarono con un grido. La scena era apparsa così all'improvviso che, sebbene sapessero cosa li aspettava, avevano avuto un soprassalto. Lì, in mezzo al sentiero, illuminato fiocamente dalle nostre luci, c'era Bronson; era caduto sopra la bicicletta e giaceva riverso come una massa informe. Ero troppo sconvolto per parlare, e credo che lo fosse anche il dottore. Ma mentre noi stavamo lì in silenzio, il frastuono della giungla era assordante; le maledette cicale e le rane toro facevano un baccano da risvegliare i morti. Anche in condizioni normali, il rumore della giungla di sera ha qualcosa di arcano; forse perché è l'ora in cui ti aspetti la quiete e fa uno strano effetto quell'incessante e invisibile tumulto che ti batte sui nervi, ti circonda e ti avviluppa. Ma quella volta, mi creda, era spaventoso. Quel poveraccio era lì, morto, e tutto attorno a lui la concitata vita della giungla continuava il suo corso indifferente e feroce.

«Lui giaceva a faccia in giù. Il sergente e i coolie mi guardavano come se aspettassero un ordine. Ero giovane, allora, e devo aver avuto paura. Anche se non lo vedevo in viso ero certo che si trattasse di Bronson, ma sapevo che avrei dovuto per lo meno voltare il corpo per accertarmene. Tutti noi abbiamo le nostre debolezze; be', io non ho mai sopportato di toccare i cadaveri. Mi è capitato spesso, ormai, e tuttavia mi faceva senso.

«"Ma sì che è Bronson" dissi.

«Il dottore – meno male che era lì con me – si chinò e gli girò la testa. Il sergente puntò la luce sul viso morto.

«"Sant'Iddio, gli hanno sparato via mezza faccia" esclamai.

«"Sì".

«Il dottore si rialzò e si pulì le mani sulle foglie di un arbusto.

«"È morto?" domandai.

«"Eh sì. Dev'essere morto sul colpo. Chiunque l'abbia fatto, deve avergli sparato da molto vicino".

«"Da quanto credi che sia morto?".

«"Non saprei di preciso. Qualche ora".

«"Sarà passato di qui verso le cinque, suppongo, se voleva essere al club per un rubber alle sei".

«"Non c'è traccia di lotta" disse il dottore.

«"Non può esserci stata lotta. Gli hanno sparato mentre andava in bicicletta".

«Osservai quel corpo. Non potevo evitare di pensare che poche ore prima Bronson, chiassoso, col suo vocione, sprizzava vita da ogni poro.

«"Non dimenticarti che aveva con sé la paga dei suoi coolie" disse il dottore.

«"Certo, è meglio perquisirlo".

«"Lo voltiamo?".

«"Aspetta. Diamo prima un'occhiata al terreno".

«Presi la lampada e ispezionai la scena con cura. Lì dov'era caduto, il sentiero sabbioso era calpestato e confuso; c'erano le nostre impronte e quelle dei coolie che l'avevano trovato. Mi allontanai di due o tre passi finché

70

distinsi chiaramente i solchi dritti delle ruote. Li seguii fino al punto dov'era caduto, anzi appena un po' prima, e sui due lati vidi le impronte nette dei suoi stivali pesanti. Doveva essersi fermato piantando i piedi in terra, poi era ripartito e prima di cadere aveva sbandato.

« "Adesso possiamo perquisirlo".

« Il dottore e il sergente lo voltarono e uno dei coolie spostò la bicicletta. Immaginavo che i soldi fossero in parte banconote e in parte monete d'argento. Le monete normalmente stavano in una sacca attaccata alla bici, e bastò uno sguardo per vedere che non c'erano più. Le banconote, invece, un mazzo ragguardevole, le metteva in un portafogli. Lo tastai per bene, ma non trovai niente; allora frugai nelle tasche, ma, a parte un paio di monetine in quella destra, erano vuote.

« "Non portava sempre un orologio?" chiese il dottore.

« "Sì, certo".

« Mi ricordavo che infilava la catenella nell'asola del bavero, e l'orologio, qualche sigillo e un paio di altre cose nel taschino. Ma orologio e catenella erano scomparsi.

« "Be', la situazione sembra chiara" dissi.

« Era stato assalito da ladri che sapevano che aveva i soldi con sé. Dopo averlo ucciso l'avevano ripulito di tutto. Ripensai alle impronte che indicavano che si era fermato un momento e vidi esattamente come si era svolta la scena: uno di loro l'aveva fermato con un pretesto qualsiasi, poi, quando stava per ripartire, l'altro era saltato fuori dalla giungla alle sue spalle e gli aveva scaricato una doppietta in testa.

« "Ora sta a me acciuffarli," dissi al dottore "e sai cosa, mi farebbe un immenso piacere vederli penzolare dalla forca".

« Ci fu un'inchiesta. La moglie venne a testimoniare, ma non ci disse nulla che non sapessimo già. Bronson era uscito di casa verso le undici con l'idea di fare uno spuntino a Kabulong e di essere di ritorno tra le cinque e le sei. Le aveva detto di non aspettarlo, che avrebbe solo messo i soldi in cassaforte per poi raggiungerla al club.

Cartwright confermò la deposizione: aveva pranzato da solo con Mrs Bronson e dopo aver fumato una sigaretta era uscito con il fucile a sparare ai piccioni. Era tornato verso le cinque, si era fatto un bagno e si era vestito per il tennis. Era andato a caccia non lontano da dove era stato ucciso Bronson, ma non aveva sentito lo sparo. Il che era più che normale, con le cicale, le rane, e tutti gli altri rumori della giungla; avrebbe dovuto essere molto vicino per udire qualcosa. Inoltre, con tutta probabilità, al momento della rapina Cartwright era già rincasato. Ricostruimmo gli spostamenti di Bronson. Aveva mangiato al club, aveva ritirato i soldi appena prima della chiusura della banca, era tornato al club per un ultimo drink, e poi aveva inforcato la bicicletta. Aveva attraversato il fiume sul traghetto; il barcaiolo si ricordava bene di averlo visto, ed era sicuro che nessun altro passeggero avesse una bici con sé. Quindi gli assassini non l'avevano seguito, ma lo aspettavano lungo il sentiero. Lui si era tenuto sulla strada principale per tre chilometri, poi aveva preso la scorciatoia che lo portava al suo bungalow.

«L'impressione era che gli assassini conoscessero le sue abitudini, e ovviamente i sospetti ricaddero subito sui coolie della sua piantagione. Indagammo su ognuno di loro, e meticolosamente, ma non c'era uno straccio di indizio che li collegasse al crimine. Anzi, quasi tutti avevano un alibi, e anche gli altri, per una ragione o per l'altra, mi sembravano da scagionare. Tra i cinesi di Alor Lipis c'era qualche individuo losco, e li feci tenere sotto controllo. Ma non mi aveva l'aria di essere un lavoro da cinesi; loro avrebbero usato una pistola, non la doppietta. Ad ogni modo, non trovai niente neanche lì. Quindi offrimmo una ricompensa di mille dollari a chi ci forniva un indizio che portasse all'arresto degli assassini. Pensavo ci fosse parecchia gente che avrebbe reso volentieri un servizio alla comunità, soprattutto se allo stesso tempo si intascava un bel gruzzolo. Ma sapevo anche che un informatore non vuole correre rischi, e non avrebbe fiatato finché non si fosse sentito al sicuro; così mi armai di pazienza. La ricompensa aveva risvegliato l'interesse dei miei agenti, ed ero certo che avrebbero fatto il possibile per arrestare i criminali. In una situazione come questa, potevano fare ben più di quanto potessi fare io.

«Ma stranamente non accadde nulla; la ricompensa non tentò nessuno. Ampliai il raggio d'azione. Lungo la strada c'erano due o tre *kampong*, e mi chiesi se gli assassini non si trovassero lì; andai a trovare i capi del villaggio, ma non mi furono di nessun aiuto. Non che non volessero, è che proprio non sapevano niente. Parlai con le teste calde, ma non c'era modo di collegarli al crimine. Non avevo uno straccio di indizio.

«"Bene, ragazzi," dicevo tra me e me, di ritorno ad Alor Lipis "non c'è fretta; diamo tempo al tempo".

«I furfanti si erano portati via una bella somma, ma i soldi non servono, se non li spendi. Conoscevo l'indole degli indigeni, e sapevo che quel malloppo sarebbe stato una tentazione costante. I malesi sono una razza spendacciona, hanno il vizio del gioco, e lo stesso vale per i cinesi; prima o poi qualcuno avrebbe cominciato a sperperare soldi, e allora gli avrei chiesto da dove venivano. Ero sicuro che con poche domande ben calibrate gli avrei messo una paura del diavolo, e poi, se giocavo bene le mie carte, sarei riuscito a ottenere una confessione completa senza troppi problemi.

«Per il momento l'unica era attendere che le acque si calmassero, e che gli assassini credessero che la questione era ormai dimenticata. La fregola di spendere quel denaro sporco sarebbe diventata sempre più insopportabile, e alla fine avrebbero ceduto. Io mi sarei occupato delle mie cose, ma ero deciso a non abbassare mai la guardia; un giorno o l'altro, il momento sarebbe arrivato.

«Cartwright accompagnò Mrs Bronson a Singapore. La compagnia per la quale lavorava Bronson gli chiese se voleva prendere il suo posto ma lui, comprensibilmente, rispose che non se la sentiva; quindi assunsero un altro e offrirono a Cartwright il posto vacante di quest'ultimo, che gestiva la piantagione dove Cartwright vive adesso. Vi

73

si trasferì subito. Quattro mesi dopo, a Singapore, nacque Olive, e di lì a qualche mese, a poco più di un anno dalla morte di Bronson, Cartwright e Mrs Bronson si sposarono. Sulle prime fui sorpreso; ma pensandoci un po' dovetti ammettere che era più che naturale. Dopo la disgrazia la Bronson si era affidata totalmente a Cartwright, che per lei si era davvero fatto in quattro; doveva sentirsi sola, persa, e aveva potuto fare affidamento completo su di lui. Gli sarà stata alquanto grata per la sua gentilezza. E immagino che Cartwright, dal canto suo, la compatisse; era una situazione terribile per una donna, non aveva neanche un posto dove andare, e tutto quello che avevano passato insieme doveva aver creato tra loro un forte legame. Avevano tutti i motivi per sposarsi, e probabilmente fu la cosa migliore per entrambi.

«Sembrava che gli assassini di Bronson, invece, non li avremmo mai presi, perché il mio piano non funzionò; in tutto il distretto mai nessuno si mise a spendere più di quanto potesse giustificare, e se qualcuno aveva sepolto quel malloppo sotto le assi del pavimento, allora dava prova di un autocontrollo sovrumano. Dopo un anno, malgrado tutta la buona volontà, la questione fu dimenticata. Chi poteva essere così prudente da non far saltar fuori neanche qualche soldino dopo tanto tempo? Stentavo a crederci. Iniziai a pensare che Bronson fosse stato ucciso da un paio di cinesi vagabondi che se l'erano subito svignata, a Singapore per esempio, dove le probabilità di acciuffarli erano minime. Alla fine mi arresi. Se ci pensa, in genere le rapine sono i casi più difficili da risolvere, perché non c'è modo di rintracciare il colpevole, e se lo si incastra è solo perché è stato avventato. Non è come i delitti passionali, o le vendette, dove puoi risalire a chi aveva un movente.

«Ma non vale la pena di amareggiarsi all'infinito per i propri demeriti, e cercai di scordarmi quella storia ricorrendo al buon senso. La sconfitta non piace a nessuno, io ero stato sconfitto e dovevo fare buon viso a cattiva sorte. Poi acciuffammo un cinese che tentava di impegnare l'orologio del povero Bronson.

«Le avevo detto che orologio e catenella erano spariti, e la Bronson ce l'aveva descritto accuratamente. Era un half-hunter Benson, con la catenella d'oro, tre o quattro sigilli e un astuccetto d'argento. Il tipo dell'agenzia di pegni era sveglio e quando il cinese gli portò l'orologio lo riconobbe al volo. Lo tenne lì ad aspettare con un pretesto qualsiasi e intanto chiamò un poliziotto che accorse, lo arrestò e lo portò subito da me. Lo accolsi come un fratello perduto da tempo. Non sono mai stato così contento di vedere qualcuno in vita mia. Sa, io non ce l'ho coi criminali; in genere mi dispiace per loro perché giocano una partita in cui l'avversario ha in mano tutti gli assi e tutti i re; ma quando ne acciuffo uno provo un piccolo fremito di soddisfazione, come quando ti riesce una finezza a bridge. Finalmente il mistero stava per essere svelato, poiché se il cinese non aveva commesso il crimine, potevamo star certi che attraverso di lui saremmo risaliti agli assassini. Gli feci un sorriso smagliante.

«Gli domandai di spiegarmi come fosse venuto in possesso dell'orologio. Rispose che l'aveva acquistato da un tizio che non conosceva. Poco convincente. Gli spiegai brevemente la situazione, e che sarebbe stato condannato per omicidio. Volevo spaventarlo e riuscii nell'intento. Allora disse che l'aveva trovato.

«"Trovato?" dissi. "Ma pensa un po'. E dove?".

«La sua risposta mi lasciò interdetto. Disse che l'aveva trovato nella giungla. Gli risi in faccia e gli chiesi se secondo lui lasciare gli orologi nella giungla era un'usanza diffusa; poi disse che camminando per il sentiero che va da Kabulong ad Alor Lipis si era spinto nella giungla e a un certo punto aveva visto qualcosa che luccicava, ed era l'orologio. Certo era strano. Perché mai avrebbe dovuto dire che l'aveva trovato proprio lì? O era sincero, o estremamente astuto. Gli chiesi dov'erano la catenella e i sigilli, e me li mostrò subito. Gli avevo messo paura ed era pallido e tremante; era un mingherlino con le gambe storte, avrei dovuto essere un fesso per pensare di trovarmi di fronte all'assassino. Ma l'aria spaventata mi faceva pensare che stesse comunque nascondendo qualcosa.

«Gli chiesi quando aveva trovato l'orologio.

«"Ieri" rispose.

«Gli chiesi cosa faceva sulla scorciatoia tra Kabulong e Alor Lipis. Disse che per un po' aveva lavorato a Singapore; in seguito era andato a Kabulong perché suo padre era malato, e poi era venuto ad Alor Lipis sempre per lavoro. Un amico del padre, un falegname, gli aveva offerto un impiego. Mi diede il nome di entrambi i datori di lavoro. Quanto diceva era plausibile, e così facilmente verificabile che avrebbe avuto poco senso mentire. Pensai che, se aveva davvero trovato l'orologio nella giungla, questo vi era rimasto per più di un anno, e dunque doveva essere in pessime condizioni; cercai di aprirlo ma non ci riuscii. Anche il prestatore su pegno era venuto alla stazione di polizia, era nella stanza accanto che aspettava; per mia fortuna si intendeva di orologi. Lo mandai a chiamare e gli chiesi di dare un'occhiata. Quando lo aprì emise un lieve fischio: gli ingranaggi erano tutti arrugginiti.

«"Questo orologio no bene" disse scuotendo la testa. "No funziona mai più".

«Gli chiesi cosa poteva averlo ridotto così, e senza saper niente di tutta la storia disse che doveva essere rimasto a lungo esposto all'umido. Per minare il morale del prigioniero, lo feci rinchiudere in cella e mandai a chiamare il suo datore di lavoro. Inviai un telegramma a Kabulong e uno a Singapore. Nell'attesa, cercai di fare due più due. Mi veniva da credere alla storia del cinese; il suo spavento poteva dipendere dal semplice senso di colpa per aver cercato di vendere un oggetto trovato. Anche chi è perfettamente innocente può innervosirsi quando è nelle mani della polizia; per qualche ragione coi poliziotti la gente non si sente mai a proprio agio. Ma se aveva davvero trovato l'orologio dove diceva, qualcuno doveva avercelo gettato. Ora, questo è a dir poco inusuale. Anche se gli assassini avessero reputato pericoloso rivenderlo, avrebbero potuto fondere l'oro, cosa che qualsiasi indigeno sa fare. E la catenella era così comune da essere irrintracciabile – qui ogni gioielliere vende catenelle simili. C'era la possibilità che l'orologio fosse caduto durante la fuga nella giungla, e che nella fretta avessero avuto paura di tornare indietro. Ma non mi sembrava molto plausibile: i malesi sono abituati a portare oggetti avvolti nei *sarong*, e i cinesi hanno vesti con le tasche. Inoltre, una volta nella giungla, non c'era più fretta; probabilmente era lì che avevano diviso la refurtiva.

«Quando l'uomo che avevo mandato a chiamare arrivò, confermò la versione del prigioniero; dopo un'ora ricevetti la risposta da Kabulong. La polizia era stata dal padre, che aveva detto che il ragazzo era andato ad Alor Lipis a lavorare come falegname. Finora sembrava avesse detto la verità. Lo convocai di nuovo e gli dissi che saremmo andati dove diceva di aver trovato l'orologio perché mi mostrasse il punto esatto. Lo ammanettai a un poliziotto – anche se non ce n'era bisogno, il poveraccio tremava come una foglia – e mi portai appresso un altro paio di agenti. Camminammo lungo il sentiero; il cinese si fermò a meno di cinque metri dal luogo in cui era stato ucciso Bronson.

«"Qui" disse.

«Si inoltrò nella giungla e noi lo seguimmo. Dopo una decina di metri indicò una fessura tra due massi e disse che l'aveva trovato lì. Era un caso se l'aveva scorto, e se non mentiva sembrava proprio che qualcuno avesse voluto nasconderlo».

Gaze si interruppe e mi lanciò un'occhiata assorta.

«Lei cosa avrebbe pensato a quel punto?» mi chiese.

«Non saprei» risposi.

«Bene, le dirò cosa ho pensato io. Se lì c'era l'orologio, poteva esserci anche il denaro. Certo, cercare l'ago nel pagliaio è un gioco da salotto al paragone, ma non mi restava altro da fare. Liberai anche il cinese; avevo bisogno di tutto l'aiuto disponibile. Lui, i miei tre uomini e io partimmo separatamente dalla strada; setacciammo il sentiero per cinquanta metri per il lungo, e cento metri per il largo. Frugammo tra le foglie secche e nei buchi degli alberi, ci infilammo nei cespugli e sollevammo i sassi. Sapevo che era un'impresa folle, che avevamo una probabilità su mille di riuscire; puntavo sul fatto che chi ha appena commesso un omicidio è sconvolto, e se deve nascondere qualcosa lo fa in fretta; sceglie il primo nascondiglio che si trova davanti. Con l'orologio aveva fatto così. Per questo limitai la ricerca a un'area circoscritta.

«Cercammo a lungo. Iniziavo a essere stanco e contrariato. Sudavamo come maiali. Avevo una sete infernale e non una goccia da bere. Alla fine decisi che, almeno per quel giorno, dovevamo arrenderci all'evidenza, era troppo difficile; quando all'improvviso il cinese – occhio di lince – emise un suono gutturale. Si accovacciò e, da sotto una radice tutta ritorta, tirò fuori una cosa ammuffita e puzzolente. Era un portafoglio, esposto alle intemperie per un anno, smangiato da formiche, coleotteri e Dio sa cosa, lercio, zuppo, ma nondimeno un portafoglio: quello di Bronson. Al suo interno c'erano gli informi rimasugli, fetidi e consunti, delle banconote di Singapore che aveva ritirato dalla banca di Kabulong. Mancavano solo le monete d'argento ed ero certo che fossero nascoste da qualche parte lì in giro, ma lì potevano restare. Avevo già scoperto una cosa molto importante: chi aveva ucciso Bronson non ci aveva ricavato il becco di un quattrino.

«Si ricorda delle impronte lasciate da Bronson, quando presumibilmente si era fermato a parlare con qualcuno? Bronson era un tipo massiccio e le impronte erano molto marcate. Non aveva appoggiato i piedi sulla sabbia per un attimo, ma doveva essersi fermato per qualche minuto. Io mi ero immaginato che si fosse intrattenuto con un malese o un cinese, ma più ci pensavo meno la cosa mi convinceva. Perché diavolo avrebbe dovuto farlo? Bronson voleva tornarsene a casa e, per quanto fosse gioviale, non si perdeva certo in smancerie con gli indigeni. Li trattava come il padrone tratta i suoi servi. Da sempre quelle impronte mi avevano lasciato perplesso. E ora la verità mi folgorò: chiunque avesse ucciso Bronson non

78

l'aveva fatto per derubarlo, e se lui si era fermato per parlare con qualcuno poteva solo trattarsi di un amico. Finalmente avevo scoperto l'assassino».

Considero i gialli un tipo di letteratura alquanto ingegnosa e divertente, e mi è sempre spiaciuto di non avere le doti necessarie per scriverne; però ne ho letti parecchi, e mi compiaccio del fatto che solo in pochi casi non ho risolto il mistero prima che mi venisse svelato. Così, era da un po' che avevo capito dove Gaze sarebbe andato a parare, eppure confesso che quando infine lo disse provai un certo turbamento.

«Aveva incontrato Cartwright. Cartwright era lì a sparare ai piccioni. Bronson si era fermato a chiedergli com'era andata, e quando era ripartito l'altro gli aveva puntato la doppietta alla nuca e gli aveva sparato. Poi gli aveva preso i soldi e l'orologio, di modo che sembrasse una rapina, li aveva nascosti frettolosamente nella giungla, aveva camminato sul bordo del sentiero finché aveva raggiunto la strada, era rientrato al bungalow, si era cambiato per il tennis, e aveva accompagnato la Bronson al club.

«Mi ricordai di come aveva giocato male a tennis e di come era sbiancato quando sulle prime, nel tentativo di addolcire la pillola, avevo detto che Bronson non era morto ma ferito. Se fosse stato solo ferito, avrebbe potuto parlare. Santo cielo, se la sarà vista brutta in quel momento. Il padre del bambino era Cartwright. Lei l'ha vista con i suoi occhi, Olive. Il dottore aveva detto che Mrs Bronson aveva preso male la notizia della gravidanza e gli aveva fatto promettere di non dire niente a Bronson. Perché? Perché Bronson sapeva di non poter avere figli».

«Secondo lei Mrs Bronson era al corrente di cosa aveva fatto Cartwright?».

«Certo. Se ripenso al suo comportamento quella sera al club, non ho alcun dubbio. Era sconvolta, ma non perché Bronson era morto, bensì perché avevo detto che era soltanto ferito. E se era scoppiata a piangere quando le avevo detto che l'avevano trovato morto, era per il sollievo. La conosco bene quella donna. Pensi al suo mento

79

squadrato e mi dica se non ha un'audacia diabolica. Ha una volontà di ferro. È lei che ha spinto Cartwright a farlo. Ha pianificato ogni dettaglio e previsto ogni mossa. Lui era totalmente succube; lo è tuttora».

«Ma mi sta dicendo che né lei né nessun altro avevate mai sospettato che tra loro due ci fosse qualcosa?».

«Mai. Mai».

«Se erano innamorati e sapevano che lei aspettava un bambino, perché non se la sono semplicemente svignata?».

«E come avrebbero fatto? I soldi erano di Bronson, né lei né Cartwright avevano il becco di un quattrino. Lui era disoccupato, e crede che qualcuno l'avrebbe più assunto, dopo aver combinato una cosa del genere? Bronson l'ha praticamente salvato dalla strada, e lui gli soffia la moglie. Non avevano alternative. Non potevano permettersi di lasciar trapelare la verità, l'unica soluzione era togliere di mezzo Bronson, ed è quello che han fatto».

«Avrebbero potuto affidarsi alla sua misericordia».

«Immagino si vergognassero troppo. Lui era stato così buono con loro, era davvero un brav'uomo, non avevano il coraggio di dirgli la verità. Hanno preferito ucciderlo».

Ci fu un momento di silenzio. Stavo riflettendo sulle parole di Gaze.

«Be', e a quel punto lei cos'ha fatto?».

«Niente. Cosa potevo fare? Che prove avevo in mano? I soldi li poteva aver nascosti qualcuno che non aveva più avuto il fegato di tornare a prenderli. L'assassino poteva essersi accontentato delle monete d'argento. Le impronte? Bronson poteva essersi fermato ad accendere una sigaretta, oppure sul sentiero c'era un tronco e aveva aspettato che dei coolie che passavano di lì lo spostassero. Chi poteva provare che il bambino che una donna rispettabile come Mrs Bronson aspettava da cinque mesi prima della sua morte non fosse suo figlio? Nessuna giuria avrebbe condannato Cartwright. Io mi morsi la lingua, e l'omicidio di Bronson venne dimenticato».

«Dubito che l'abbiano dimenticato i Cartwright» suggerii.

«Non mi stupirebbe. La memoria umana è incredibilmente corta e, se vuole il mio parere professionale, il rimorso non tormenta chi l'ha fatta franca».

Pensai nuovamente alla coppia che avevo conosciuto quel pomeriggio, l'anziano pelato e mingherlino coi suoi occhiali d'oro, e la donna trascurata dai capelli bianchi, il fare diretto, e il sorriso cortesemente caustico. Era quasi impossibile immaginarsi che in un passato lontano fossero stati mossi da una passione così violenta – perché solo questa poteva spiegare il loro comportamento – da vedere solo una via d'uscita, un omicidio crudele, a sangue freddo.

«Non si sente un po' a disagio in loro compagnia?» chiesi a Gaze. «Non voglio fare il moralista, ma non posso pensare che siano delle brave persone».

«È qui che si sbaglia. Sono delle bravissime persone; senz'altro le persone più piacevoli qui in giro. Mrs Cartwright è una donna in gamba ed estremamente spiritosa. Prevenire il crimine e arrestare i colpevoli è il mio lavoro, ma ho incontrato troppi criminali in vita mia per poter pensare che siano peggiori di noi. Le circostanze possono portare una persona più che rispettabile a commettere un crimine, e se viene scoperta viene punita; ma non per questo smette di essere una persona rispettabile. Certo, la società la punisce perché ha infranto le sue leggi, ed è giusto, ma non sempre le azioni permettono di giudicare un uomo. Se lei fosse un poliziotto di vecchia data come me, saprebbe che non è quel che uno fa che conta, è quello che uno è. Per fortuna il poliziotto non deve occuparsi dei pensieri, ma solo delle azioni; altrimenti sarebbe tutta un'altra storia, e assai più complessa».

Gaze appoggiò il suo *cheroot* sul posacenere e mi guardò di sottecchi con un sorriso sardonico ma gradevole.

«Le dirò una cosa, c'è un lavoro che davvero *non* vorrei mai fare» disse.

«E quale sarebbe?» chiesi.

«Quello di Dio, nel giorno del giudizio» rispose. «Nossignore!».

IL SIGNOR SA-TUTTO-LUI

Già prima di conoscerlo prevedevo che Max Kelada non mi sarebbe piaciuto. La guerra era appena finita e il traffico di passeggeri sui bastimenti di linea che attraversavano l'oceano era intenso; trovare una sistemazione non era facile, e dovevi accontentarti di quello che decidevano di offrirti le agenzie. La cabina singola potevi scordartela, ed ero già felice che me ne avessero data una con due sole cuccette. Ma quando mi dissero il nome del mio compagno ci rimasi male. Prometteva oblò chiusi e aerazione notturna rigorosamente vietata. È già abbastanza spiacevole dover condividere la cabina con chicchessia per quattordici giorni (andavo da San Francisco a Yokohama), ma se il mio compagno di viaggio si fosse chiamato Smith o Brown sarei stato indubbiamente meno indisposto.

Quando entrai in cabina i bagagli di Mr Kelada erano già lì. Il loro aspetto mi dispiacque; troppe etichette sulle valigie, un baule troppo grande. Aveva tirato fuori le cose da toilette, e potei constatare che era un cliente dell'ottimo Monsieur Coty: sul portacatino c'erano il suo profumo, il suo shampoo e la sua brillantina. Le spazzole di Mr Kelada, d'ebano col monogramma in oro, avevano urgente bisogno di una ripulita. Mr Kelada non mi piaceva per niente. Me ne andai nel fumoir. Chiesi un mazzo di carte e mi misi a giocare a solitario. L'avevo appena iniziato quando un uomo mi interruppe chiedendo se aveva ragione di credere che il mio nome fosse Tal dei tali.

«Sono Mr Kelada» aggiunse, scoprendo in un sorriso una fila di denti bianchissimi, e si sedette al mio tavolo.

«Ah, sì, dividiamo la cabina, se non vado errato».

«Gran fortuna, perbacco. Non puoi mai sapere con chi ti mettono. Che bellezza quando ho scoperto che eri inglese. Sono convinto che noi inglesi dovremmo stare uniti quando siamo all'estero, non so se mi spiego».

Sgranai gli occhi.

«Lei è inglese?» domandai, forse in modo irriguardoso.

«Direi. Non avrò mica l'aria di un americano, vero? Britannico fino all'osso, sono».

A dimostrazione, Mr Kelada si sfilò il passaporto di tasca e me lo sventolò vivacemente sotto il naso.

Re Giorgio non è a corto di sudditi esotici. Mr Kelada era tarchiato, aveva la pelle scura e liscia, un naso adunco e carnoso e occhi grandissimi, lucidi e acquosi. La lunga chioma nera era riccia e lucente. Aveva una parlantina che non poteva essere meno inglese, e gesticolava con esuberanza. Ero sicuro che a un esame più attento quel passaporto avrebbe tradito un luogo di nascita baciato da un cielo ben più azzurro di quello che si vede di norma in Inghilterra.

«Cosa bevi?» mi chiese.

Lo guardai dubbioso. C'era il proibizionismo e la nave aveva tutta l'aria di essere all'asciutto. Quando non ho sete mi è difficile dire cosa mi piace meno, se il ginger ale o la limonata. Ma Mr Kelada mi sorrise in quel suo modo orientale.

«Whisky e soda o martini dry, non hai che da scegliere».

Dai taschini estrasse due fiaschette e le posò sul tavolo. Decisi per il martini, lui chiamò il cambusiere e si fece portare del ghiaccio e un paio bicchieri.

«Un ottimo cocktail» osservai.

«Be', dove so io ce n'è a bizzeffe, e anzi se hai degli

amici a bordo, digli pure che conosci uno che ha tutto il liquore del mondo».

Mr Kelada era ciarliero. Parlò di New York e San Francisco. Discusse di spettacoli, film e politica. Era patriottico. L'Union Jack è un drappo di tutto rispetto, ma quando a sventolarla è un signore di Alessandria o di Beirut, non posso fare a meno di pensare che perde un po' della sua dignità. Mr Kelada si prendeva troppe confidenze. Non voglio darmi delle arie, ma mi è difficile capire come un perfetto estraneo possa darmi del tu senza tanti complimenti. Mr Kelada non usava tante formalità, senz'altro per mettermi a mio agio; ma non mi piaceva. Quando si era seduto avevo smesso di giocare; adesso però, considerando che questa prima conversazione era durata abbastanza, ripresi la mia partita.

«Il tre sul quattro» disse Mr Kelada.

Non c'è niente di più esasperante, quando giochi a solitario, di qualcuno che ti dice dove mettere la carta che hai appena voltato prima ancora che tu sia riuscito a guardarla.

«Ti viene, ti viene!» gridò. «Il dieci sul fante!».

Con rabbia e odio nel cuore, terminai. Lui afferrò il mazzo.

«Ti piacciono i giochi di prestigio con le carte?».

«Li detesto» risposi.

«Guarda, te ne faccio vedere uno solo».

Me ne fece vedere tre. Allora gli dissi che me ne sarei sceso in sala da pranzo per prendere il mio posto a tavola.

«Oh, è tutto sistemato» disse. «Ti ho tenuto un posto io. Mi sono detto che se dividiamo la cabina, tanto vale sederci allo stesso tavolo».

Mr Kelada non mi piaceva.

Non solo la cabina in comune e tre pasti al giorno insieme: non potevo neppure passeggiare sul ponte senza trovarmelo appresso. Ignorarlo era impossibile. Non aveva mai il sospetto di essere indesiderato. Era certo che io fossi tanto contento di incontrarlo quanto lui di incontrare me. A casa mia, avrei potuto sbattergli la porta in faccia senza che intuisse di non essere il benvenuto. Sapeva muoversi, e nel giro di tre giorni conosceva tutti. Organizzava tutto lui. Gestì la tombola, diresse l'asta, raccolse i soldi per i premi sportivi, si inventò partite di golf e di lancio degli anelli, curò il concerto e il ballo in maschera. Era ovunque, e sempre. Senza dubbio, era l'uomo più odiato di tutta la nave. Lo chiamavamo il signor Sa-tutto-lui, anche in sua presenza. Lui lo prendeva come un complimento. Ma era durante i pasti che dava il peggio di sé. Per quasi un'ora eravamo in sua balìa. Era affabile, gioviale, loquace, polemico. La sapeva più lunga di tutti gli altri, e ogni obiezione era un affronto alla sua smodata vanità. Non mollava un argomento, per quanto insulso, finché non ti aveva portato a vederla come lui. Il pensiero di poter essere nel torto non lo sfiorava mai. Era il depositario del sapere. Sedevamo al tavolo del medico di bordo. Mr Kelada l'avrebbe spuntata facilmente fino all'ultimo, perché il dottore era pigro e io di un'indifferenza glaciale, se non fosse stato per un tipo di nome Ramsay. Dogmatico quanto Mr Kelada, era stizzito dalla sua presunzione. Le loro dispute erano aspre e interminabili.

Ramsay lavorava per il servizio consolare americano ed era distaccato a Kobe. Era un omone del Midwest, con tanti cuscinetti di grasso sotto la pelle tesa, e ci stava a malapena nei vestiti confezionati. Tornava alle sue mansioni dopo una capatina a New York per prendere la moglie, che aveva trascorso un anno a casa. Mrs Ramsay era una personcina davvero deliziosa, con modi gradevoli e un buon senso dell'umorismo. Il servizio consolare è pagato male e lei era sempre vestita con grande semplicità, ma i suoi abiti li sapeva indossare. Otteneva un effetto pacatamente distinto. Non le avrei prestato troppa attenzione se non avesse posseduto una qualità che nelle donne sarà pure comune, ma oggigiorno non traspare spesso dal loro contegno: non potevi guardarla senza essere colpito dalla sua modestia. Risplendeva in lei come un fiore all'occhiello.

Una sera a cena la conversazione toccò casualmente il

tema delle perle. Sui giornali si leggeva spesso delle perle che gli astuti giapponesi erano riusciti a coltivare, e il medico commentò che questo avrebbe inevitabilmente ridotto il valore di quelle vere. Erano già belle, presto sarebbero state perfette. Mr Kelada, come suo solito, si avventò sul nuovo argomento. Ci spiegò tutto quel che bisognava sapere sulle perle. Dubito che Ramsay ci capisse qualcosa, ma non seppe resistere alla tentazione di rimbeccare il levantino, e nel giro di cinque minuti si era scatenato un acceso battibecco. Avevo già visto Mr Kelada garrulo e irruente, ma mai garrulo e irruente quanto ora. Alla fine Ramsay disse qualcosa che lo punse sul vivo, poiché picchiò i pugni sul tavolo e gridò:

«Be', saprò ben di cosa sto parlando! Sto andando in Giappone proprio per esaminare queste perle coltivate. Sono del ramo, e vi sfido a trovare un solo professionista che non ammetta che quel che ho da dire sulle perle è legge. Conosco tutte le più belle perle del mondo, e se c'è qualcosa che non so sulle perle è perché non vale la pena saperlo».

Questa per noi era una novità, dato che Mr Kelada, per loquace che fosse, non aveva mai rivelato a nessuno la sua occupazione. Sapevamo solo vagamente che era diretto in Giappone per questioni di affari. Si guardò intorno trionfante.

«Non riusciranno mai a ottenere una perla d'allevamento che un esperto come me non riconosca ad occhi chiusi». Indicò la collana di perle che indossava Mrs Ramsay. «Dia retta a me, Mrs Ramsay, la collana che porta non varrà mai un solo centesimo meno di adesso».

Mrs Ramsay arrossì pudicamente e infilò la collana nel vestito. Ramsay si protese in avanti, ci guardò uno per uno e negli occhi gli balenò un sorriso.

«È bellina, vero, la collana di mia moglie?».

«L'ho notata subito» rispose Mr Kelada. «Ehi, mi sono detto, queste sì che son perle».

«Visto che non l'ho comprata io, mi piacerebbe sapere quanto crede che sia costata».

«Be', sul mercato sarà attorno ai quindicimila dollari. Ma se è stata comprata in Fifth Avenue, non mi sorprenderei se mi dicessero che è stata pagata attorno ai trentamila».

Ramsay sorrise maligno.

«Allora la sorprenderà sapere che mia moglie l'ha comprata in un grande magazzino il giorno prima di lasciare New York, per diciotto dollari».

Mr Kelada arrossì.

«Fandonie. Non solo è vera, ma in quella scala di grandezza è tra le più belle che abbia mai visto».

«Vuole scommettere? Cento dollari che è un'imitazione».

«Ci sto».

«Su, Elmer, non si può scommettere su una cosa certa» lo rimproverò gentilmente Mrs Ramsay con un sorrisino.

«Non posso? Se mi si presenta la possibilità di fare soldi facili, dovrei essere un tonto di prima categoria a non approfittarne».

«Ma come si potrà giudicare?» proseguì lei. «È la mia parola contro quella di Mr Kelada».

«Mi faccia dare un'occhiata alla collana, e le dirò subito se si tratta di un'imitazione. Posso permettermi di perdere cento dollari» disse Mr Kelada.

«Toglitela, cara. Lascia che il signore l'osservi quanto gli pare e piace».

Mrs Ramsay esitò un momento. Portò le mani alla chiusura.

«Non riesco ad aprirla» disse. «Mr Kelada dovrà credermi sulla parola».

All'improvviso, ebbi il timore che stesse per accadere qualcosa di increscioso, ma non trovai niente da dire.

Ramsay si alzò in piedi.

«Faccio io».

Poi porse la collana a Mr Kelada. Il levantino tirò fuori una lente dalla tasca e la esaminò accuratamente. La sua faccia scura e liscia si allargò in un sorriso di trionfo. Restituì la collana. Stava per dire la sua, ma di colpo incrociò lo sguardo di Mrs Ramsay. Era così pallida che sembrava sul punto di svenire. Lo fissava con gli occhi sbarrati dal terrore. Racchiudevano una supplica disperata, così palese che mi chiesi come il marito potesse non accorgersene.

Mr Kelada si bloccò con la bocca aperta. Arrossì intensamente. Il suo sforzo era quasi visibile.

«Mi sono sbagliato» disse infine. «È un'ottima imitazione, ma ovviamente appena l'ho guardata con la lente ho visto che è fasulla. Diciotto dollari è il massimo che si poteva pagare per questa robaccia».

Estrasse il portafoglio e sfilò una banconota da cento dollari. La porse a Ramsay senza una parola.

«Forse questo le insegnerà a non essere così presuntuoso la prossima volta, mio giovane amico» disse Ramsay intascando i soldi.

Notai che a Mr Kelada tremavano le mani.

La storia si sparse per tutta la nave, come succede, e quella sera Mr Kelada dovette sopportare non poche canzonature. Il signor Sa-tutto-lui era stato colto in fallo; c'era da morire dal ridere. Ma Mrs Ramsay si ritirò nella sua cabina col mal di testa.

La mattina seguente mi alzai e cominciai a rasarmi. Mr Kelada era steso sul letto a fumare. All'improvviso udii qualcosa che grattava sotto la porta e vidi che vi stavano infilando una lettera. Aprii e guardai fuori. Non c'era nessuno. Raccolsi la lettera, era indirizzata a Max Kelada. Il nome era scritto in stampatello. Gliela consegnai.

«Di chi sarà?». La aprì. «Accidenti!».

Dalla busta non estrasse una lettera, ma una banconota da cento dollari. Mi guardò e arrossì di nuovo. Strappò la busta in piccoli pezzi e me li diede.

«Ti dispiace gettarli fuori dall'oblò?».

Feci come chiedeva, poi lo guardai con un sorriso.

«A nessuno piace passare per un perfetto imbecille» disse.

«Erano vere le perle?».

«Se avessi una mogliettina graziosa, non la lascerei un anno a New York mentre io sono a Kobe» disse lui.

In quel momento Mr Kelada non mi dispiacque del tutto. Prese il portafogli e vi infilò con cura la banconota da cento dollari.

RELITTI

Norman Grange aveva una piantagione di caucciù. Si era alzato prima dell'alba per fare l'appello dei braccianti, poi aveva fatto il giro lungo della tenuta per controllare che i tronchi venissero incisi a modo. Dopodiché era rincasato, si era fatto un bagno, si era cambiato e ora, seduto di fronte alla moglie, consumava quel pasto sostanzioso che, né colazione né pranzo, nel Borneo si chiama brunch. Mangiando, leggeva. La sala da pranzo era squallida. Lo scaldavivande scrostato, l'oliera malconcia, i piatti scheggiati indicavano povertà, ma una povertà accettata con apatia. Sarebbe bastato qualche fiore per ravvivare la tavola, ma sembrava che nessuno si curasse dell'aspetto delle cose. Finito di mangiare, Grange ruttò, caricò la pipa, l'accese e uscì sulla veranda. Si comportava come se la moglie non esistesse. Si mise su una sdraio di vimini e continuò a leggere. Mrs Grange sfilò una sigaretta da una scatolina di latta e si mise a fumare sorseggiando il tè. All'improvviso guardò fuori, perché il loro boy stava salendo le scale seguito da due uomini, un daiacco e un cinese. I tre si diressero verso il marito. Non ricevevano spesso visite di sconosciuti e Mrs Grange si chiese cosa volessero. Si avvicinò alla porta per ascoltare. Sebbene vivesse nel Borneo da tanti anni, conosceva solo il malese necessario per comunicare con i boy, e capì ben poco di quel che si dissero. Dal tono di voce del marito, dedusse che si trattava di una seccatura. Sembrava interrogare a turno il cinese e il daiacco; era come se lo volessero convincere a fare una cosa che lo contrariava; comunque, dopo un bel po', egli si alzò e li seguì. Curiosa di capire dove fossero diretti, Mrs Grange sgattaiolò sulla veranda. Erano scesi lungo il sentiero che porta al fiume. Si strinse nelle spalle magre e si ritirò nella sua stanza. Poi trasalì violentemente, perché udì il marito che la chiamava.

«Vesta!».

Uscì.

«Prepara un letto. C'è un bianco in un *praho* giù al molo. Sta da cane».

«Chi è?».

«Cosa diavolo ne so? Stanno per portarlo da noi».

«Non possiamo mica tenere ospiti, qui».

«Sta' zitta e fa' come ti dico».

Detto questo la piantò lì e tornò al fiume. Mrs Grange chiamò il boy e gli ordinò di preparare il letto in una stanza in disuso. Poi andò in cima alle scale e attese. Dopo poco vide spuntare il marito seguito da un gruppo di daiacchi che portavano un uomo steso su un materasso. Si fece da parte per lasciarli passare; scorse un viso pallidissimo.

«Cosa devo fare?» chiese al marito.

«Va' fuori e sta' zitta».

«Sempre gentile, eh?».

Il malato venne sistemato nella stanza; dopo un paio di minuti ne uscirono i daiacchi e Grange.

«Vado a occuparmi del suo equipaggiamento. Lo farò portare qui. Di lui si prende cura il suo boy, non c'è bisogno che ci metti il naso anche tu».

«Che cos'ha?».

«La malaria. L'equipaggio ha paura che stia per crepare, e sulla barca non ce lo vogliono. Si chiama Skelton».

«Mica morirà davvero?».

«Se crepa lo seppelliremo».

Ma Skelton non crepò. Si svegliò il mattino dopo in quella stanza, disteso su un letto, sotto una zanzariera. Non riusciva a capire dove fosse. Era un lettaccio di ferro e il materasso era duro, ma senz'altro piacevole rispetto alla scomodità del *praho*. Nella stanza vide solo una cassettiera grossolana, opera di un artigiano indigeno, e una sedia di legno. Sull'altro lato c'era il vano di una porta coperto da una tenda, e immaginò che desse sulla veranda.

«Kong!» chiamò.

La tenda si scostò ed entrò il suo boy. Il volto del cinese si illuminò di un sorriso quando si avvide che il suo padrone era sfebbrato.

«Lei tanto meglio, *tuan*. Io tanto felice».

«Dove accidenti sono?».

Kong glielo spiegò.

«È a posto il bagaglio?».

«Sì, bagaglio a posto».

«Come si chiama questo tipo, il *tuan* che vive qui?».

«Mr Norman Grange».

A riprova gli mostrò un libricino dove c'era scritto il nome del padrone di casa. Proprio Grange. Skelton non mancò di notare che il libricino erano i *Saggi* di Bacon. Era quantomeno curioso trovarli nella casa di un piantatore, sperduta sulle rive di un fiume nel Borneo.

«Digli che sarei lieto di incontrarlo».

«*Tuan* fuori. Lui torna presto».

«Allora potrei farmi una doccia e rasarmi come si deve, che Dio sa quanto ne ho bisogno».

Fece per alzarsi ma ebbe un capogiro e con un'esclamazione sgomenta ricadde indietro. Allora Kong lo rasò, lo lavò, e lo aiutò a cambiarsi gli indumenti che aveva indosso da quando si era ammalato, dandogli un *sarong* e un *baju*. Dopodiché il malato fu ben contento di starsene a letto. Poi però rientrò Kong dicendo che il *tuan* della casa era tornato. Bussarono alla porta, ed entrò un omone tarchiato.

«Mi dicono che sta meglio».

93

«Molto meglio. Le sono estremamente riconoscente per avermi accolto. Sono desolato di aver dovuto imporre la mia presenza in questo modo».

La risposta di Grange fu piuttosto burbera:

«Fa niente. Se l'è vista brutta, sa? Non mi stupisce che quei daiacchi volessero sbarazzarsi di lei».

«Non voglio trattenermi più a lungo del necessario. Se potessi affittare una lancia qui, o un *praho*, potrei togliere il disturbo già questo pomeriggio».

«Macché lancia. Farà meglio a starsene qui per un po'. Sarà debole come un topo».

«Temo davvero che sarei un terribile impiccio per voi».

«Non vedo perché. Ha con sé il suo boy, sarà lui a occuparsi di lei».

Grange era appena ritornato dalla ronda nella piantagione; aveva le scarpe sporche, una camicia color cachi sbottonata e un vecchio cappello *terai* tutto sformato. Era concio come un mendicante. Si tolse il cappello per tergersi il sudore dalla fronte; i capelli erano grigi e stopposi, il faccione rubizzo e carnoso, con la bocca larga sotto i baffi grigi e spioventi, un piccolo naso pugnace, occhietti cattivi.

«Le potrei chiedere qualcosa da leggere?» fece Skelton.

«Tipo?».

«Qualsiasi cosa, purché sia un po' leggera».

«A me i romanzi non interessano, ma gliene farò portare due o tre, mia moglie ne ha. Saranno delle boiate, tanto non legge altro. Ma forse fanno al caso suo».

Fece un cenno col capo e uscì. Una persona piuttosto sgradevole, ma sia la stanza sia il suo aspetto facevano intuire che era povero in canna; gestiva probabilmente la piantagione a stipendio ridotto, e le spese per l'ospite e il servo dovevano essere un peso. Inoltre, vivendo in quel luogo remoto, non doveva avere spesso l'occasione di incontrare dei bianchi, e forse i forestieri lo mettevano a disagio. C'è gente che cambia parecchio appena la si conosce un po' meglio, però quegli occhietti duri e sfuggenti avevano un che di sconcertante; smentivano il viso rubicondo e la costituzione robusta, che potevano far pensare a un omone gioviale col quale era facile stringere amicizia.

Dopo un po' il boy di Grange gli portò una pila di libri. C'era una mezza dozzina di romanzi di autori che Skelton non aveva mai sentito, e che avevano l'aria di svenevoli polpettoni; dovevano essere della moglie. In più, la *Vita di Samuel Johnson* di Boswell, il *Lavengro* di Borrow e i *Saggi di Elia* di Lamb. Una scelta bizzarra. Non certo i titoli che uno si aspetta di trovare a casa di un piantatore, dove di solito ci sono al massimo due scaffali di libri, e sono quasi tutti polizieschi. Skelton nutriva una curiosità disinteressata per gli esseri umani, e ora si svagò cercando di indovinare che persona potesse essere Norman Grange sulla base di quei libri, del suo aspetto e delle poche parole che avevano scambiato. Lo sorprese il fatto che Grange non si facesse più vedere per tutto il giorno; evidentemente fornire vitto e alloggio a quell'ospite imprevisto gli era più che sufficiente, e non aveva interesse a cercarne la compagnia. L'indomani Skelton stava già abbastanza bene da alzarsi, e con l'aiuto di Kong si sistemò sulla sedia a sdraio nella veranda, che abbisognava urgentemente di una riverniciata. Il bungalow si trovava in cima a una collina, a cinquanta metri dal fiume; sulla riva opposta di quell'ampia distesa d'acqua, annidate nel verde, si vedevano delle palafitte indigene piccole piccole. Skelton non era ancora in condizione di leggere assiduamente; dopo una o due pagine i pensieri iniziavano a vagare, e si accontentò di fissare ozioso il lento scorrere delle acque torbide. Poi udì dei passi, vide una donnina anziana che veniva verso di lui e, certo che fosse Mrs Grange, fece per alzarsi.

«Non si disturbi» disse lei. «Sono solo venuta a vedere se ha bisogno di qualcosa».

Portava un vestito di cotone azzurro, molto semplice, ma più indicato per una ragazza che per una donna della sua età; i capelli erano arruffati, come se uscendo dal letto non si fosse presa la briga di passarci il pettine, e tinti di un giallo vivido, ma malamente. Si vedevano le radici bianche. La pelle era consunta e secca, gli zigomi pesantemente imbellettati in modo approssimativo e innaturale, e sulle labbra c'era uno sbaffo di rossetto. Ma la cosa più singolare era un tic che le faceva scattare la testa di lato, come se lo invitasse a seguirla in un'altra stanza; sembrava ripetersi a intervalli regolari, forse tre volte al minuto. E la mano sinistra era in continuo movimento: non tanto un fremito, semmai una rotazione, che sembrava indicare qualcosa alle sue spalle. Skelton rimase sbigottito dal suo aspetto e imbarazzato dal suo tic.

«Spero proprio di non arrecare troppo disturbo» disse. «Dovrei essere in grado di mettermi in cammino domani o dopo».

«Sa, in un posto come questo di visite non se ne ricevono spesso. È una gioia avere qualcuno con cui parlare».

«Non vuole sedersi? Dico al mio boy di portarle una sedia».

«Norman mi ha detto di lasciarla in pace.

«Sono due anni che non parlo con un bianco. Non si immagina quanto mi sia mancata una bella chiacchierata».

La testa di Mrs Grange subì una scossa violenta, più repentina del solito, e la mano fu presa da quello strano spasmo.

«Lui non sarà di ritorno prima di un'ora. Vado a prendermi una sedia».

Skelton iniziò a raccontarle chi era e cosa faceva, ma scoprì che Mrs Grange aveva interrogato il suo boy e sapeva già tutto di lui.

«Avrà una voglia matta di tornare in Inghilterra» gli disse.

«Oh, non mi dispiacerà affatto».

All'improvviso Mrs Grange ebbe un attacco di quel che si può descrivere solo come una tempesta nervosa. La testa scattava all'impazzata e la mano era preda di scosse furiose; faceva impressione. Bisognava distogliere lo sguardo.

«È da sedici anni che non vedo l'Inghilterra» disse Mrs Grange.

«Davvero? Pensavo che i piantatori ci tornassero almeno una volta ogni cinque anni».

«Non ce lo possiamo permettere; non abbiamo il becco di un quattrino. Norman ha investito tutti i suoi soldi in questa piantagione, che non frutta niente da anni. Ci dà quanto basta per non morire di fame. Del resto, non che a Norman gliene importi. Non è nemmeno inglese, lui».

«Eppure lo sembra».

«È nato a Sarawak. Suo padre lavorava per il governo. Se è originario di qualche posto, quello è il Borneo».

Poi, senza alcun preavviso, scoppiò a piangere. Era uno spettacolo terribilmente penoso, vedere le lacrime che rigavano le guance vizze e imbellettate di quella donna scossa dai tic. Skelton non sapeva cosa dire o come comportarsi. Rimase zitto, forse la cosa migliore. Lei si asciugò le lacrime.

«Penserà che sono una povera stupida. A volte mi meraviglio di riuscire ancora a piangere dopo tutti questi anni. Dev'essere nella mia natura. Mi veniva così facile quand'ero sul palcoscenico».

«Oh, faceva l'attrice?».

«Sì, prima di sposarmi. È così che incontrai Norman. Eravamo di scena a Singapore, e lui era lì in vacanza. Credo che non vedrò mai più l'Inghilterra. Me ne starò qui finché crepo e ogni giorno non vedrò altro che questo fiume infame. Non potrò più andarmene di qui. Mai più».

«Come è capitata a Singapore?».

«Be', la guerra era appena finita, ed era difficile trovare una parte interessante a Londra. Io recitavo ormai da diversi anni ed ero stufa di particine; l'agente mi disse che un certo Victor Palace stava portando una compagnia in Oriente. Sua moglie aveva i ruoli principali, ma io sarei stata coprotagonista. In repertorio avevano una mezza dozzina di pièce, sa, commedie e farse. Non era una gran paga, ma sarebbero andati in Egitto e in India, negli Stati malesi e in Cina, poi giù fino in Australia. Era un'occasione per girare il mondo e accettai. Al Cairo ci andò mica male, e credo che anche in India guadagnammo un po' di soldi, ma in Birmania fu deludente e in Siam peggio ancora; a Penang fu disastroso e negli altri Stati malesi lo stesso. E così, un giorno, Victor ci convocò per dirci che era sul lastrico, non aveva neanche i soldi per pagarci il viaggio fino a Hong Kong. La tournée era un fiasco e, gli spiaceva molto, ma ci saremmo dovuti arrangiare a rientrare come potevamo. Chiaro che noi ci ribellammo dicendogli che non poteva trattarci così, scatenammo un putiferio. Ma alla fine della fiera ci disse che potevamo tenerci le scenografie e gli oggetti di scena, se ci faceva piacere, ma quanto ai soldi potevamo scordarceli perché porco Giuda non li aveva. E l'indomani scoprimmo che zitti zitti lui e sua moglie se l'erano svignata su una barca francese. Mi creda, ero in uno stato... Avevo qualche sterlina, messa da parte dal mio salario, e basta; un tale mi disse che se proprio ero fritta il governo mi avrebbe rimpatriata, ma in terza classe, e l'idea non mi piaceva mica tanto. Riuscimmo a rendere pubblica la nostra situazione grazie alla stampa, e qualcuno ci consigliò di organizzare uno spettacolo di beneficenza. Be', così facemmo, ma senza Victor e sua moglie non funzionava un granché, e dopo aver pagato tutte le spese ci trovammo nella stessa situazione di prima. Io avevo raggiunto il mio limite di sopportazione, e guardi che non esagero. Fu allora che Norman mi chiese di sposarlo. La cosa buffa è che a malapena lo conoscevo. Mi aveva portato in macchina a fare un giro dell'isola, e un paio di volte allo Europe avevamo preso il tè e avevamo danzato. È raro che un uomo faccia qualcosa per una donna senza aspettarsi niente in cambio, e immaginavo che contasse di spassarsela un po', ma io ne avevo di esperienza alle spalle e doveva essere proprio sveglio per riuscire a fregarmi. Invece quando mi chiese di sposarlo, be', rimasi così stupita che non credetti alle mie orecchie. Mi disse che aveva la sua tenuta nel Borneo e gli ci voleva solo un po' di pazienza, poi avrebbe fatto soldi a palate. Stava sulle rive di un bel fiume e tutt'intorno c'era la giungla. Dipinse tutto in modo molto romantico. Gli anni passavano, sa, avevo compiuto i trenta, e non è che trovare lavoro diventi più facile, poi non mi dispiaceva l'idea di avere una casetta tutta mia eccetera. Non dover più fare anticamera negli uffici degli agenti. Non perdere più il sonno per l'affitto della settimana. E non era brutto, Norman, a quei tempi, forte, scuro, virile. Nessuno poteva dire che sposavo il primo venuto solo per...». Si bloccò di colpo. «Eccolo. Non dica che mi ha vista».

Prese con sé la sua sedia e sgattaiolò in casa. Skelton era sbalordito. L'aspetto grottesco, le lacrime strazianti, la storia che aveva raccontato in mezzo a continui spasmi, e per finire l'evidente paura del marito quando aveva sentito la sua voce, la fuga frettolosa. Non si raccapezzava.

Di lì a qualche minuto Norman Grange uscì sulla veranda.

«Mi dicono che sta meglio».

«Molto meglio, grazie».

«Se vuole unirsi a noi per il brunch, faccio aggiungere un posto».

«Con molto piacere».

«Bene. Prima però devo lavarmi e cambiarmi».

E se ne andò. Dopo un po' un boy venne a dire a Skelton che il suo *tuan* lo aspettava. Skelton lo seguì in salotto, una stanzetta angusta e zeppa di mobilio, un'accozzaglia di cose inglesi e cinesi, tavolini qua e là coperti di cianfrusaglie; le persiane erano chiuse per non fare entrare il caldo, ma la stanza non era né fresca né accogliente. Grange si era messo un *sarong* e un *baju* e con quegli indumenti indigeni aveva un aspetto rozzo ma vigoroso. Presentò Skelton a sua moglie. Lei gli strinse la mano e gli diede il benvenuto come se lo vedesse per la prima volta. Il boy annunciò che il pasto era pronto e si spostarono in sala da pranzo.

«Ho sentito che si trova in questo diavolo di paese da un po'» disse Grange.

«Due anni. Sono un antropologo e volevo studiare usan-

99

ze e costumi delle tribù che non sono mai entrate in contatto con la civiltà».

Skelton si sentì in dovere di spiegare come si era trovato a dover accettare quell'ospitalità che capiva offerta a denti stretti. Dopo aver lasciato il villaggio che gli era servito come base, aveva viaggiato via terra per dieci giorni finché era arrivato al fiume. Lì si era procurato due *praho*, uno per sé e il bagaglio, l'altro per Kong, il servo cinese, e l'equipaggiamento da campo. Voleva raggiungere la costa. Il lungo viaggio era stato sfiancante, ed era ben contento di dormire su un materasso all'ombra di una stuoia di canne, e di prendersela comoda. Durante tutto il soggiorno aveva goduto di ottima salute, e navigando sul fiume pensava a com'era stato fortunato; ma proprio mentre gli passava per la testa quel pensiero, si rese conto di compiacersene proprio perché non si sentiva bene come al solito. È vero che la sera prima, nella capanna dove aveva pernottato, aveva dovuto ingurgitare una notevole quantità di *arak*, ma ci era abituato e non poteva essere quella la causa di tanto mal di testa. Provava un senso di malessere diffuso. Era in calzoncini e canottiera, e aveva freddo; non era normale, perché il sole splendeva ardente e quando posò la mano sulla frisata del *praho* quasi si scottò. Se avesse avuto una giacca a portata di mano se la sarebbe messa. Aveva sempre più freddo e prese a battere i denti; nel tentativo disperato di scaldarsi, si raggomitolò sul materasso, scosso dai brividi.

«Cristo» rantolò. «La malaria».

Chiamò il timoniere.

«Fai venire Kong».

Il timoniere lanciò un grido al secondo *praho* e fece fermare i suoi vogatori; le barche si affiancarono e arrivò Kong.

«Ho la febbre, Kong» gemette Skelton. «Portami la scatola delle medicine e una coperta, santo Dio, sto crepando dal freddo».

Kong gli somministrò una buona dose di chinino e lo coprì con tutto quel che c'era a bordo. Poi ripartirono.

Quando attraccarono per la notte, Skelton stava troppo male per scendere a riva, e dovette dormire sul *praho*. Continuò a star male tutto il giorno successivo e quello dopo ancora. Ogni tanto un membro dell'equipaggio veniva a dargli un'occhiata, e spesso il timoniere si tratteneva a lungo a fissarlo pensoso.

«Quanti giorni ci vogliono per raggiungere la costa?» Skelton chiese al suo boy.

«Quattro, cinque». Kong fece una breve pausa. «Timoniere niente costa. Lui detto vuole andare casa».

«Digli di andarsene all'inferno».

«Timoniere dice lei molto malato, lei muore. Se lei muore e lui su costa, lui problemi».

«Non ho intenzione di morire» rispose Skelton. «Guarirò. È solo un normale attacco di malaria».

Kong non rispose. Il suo silenzio irritò Skelton; capì che c'era qualcosa che non voleva dirgli.

«E sputa il rospo, imbecille!» gridò.

Skelton si prese un colpo quando Kong gli disse la verità. Quella sera, una volta arrivati alla capanna, il timoniere avrebbe preso la paga e prima dell'alba se la sarebbe squagliata con i due *praho*. Era troppo spaventato per trasportare un moribondo. Skelton non aveva la forza di imporsi come avrebbe dovuto; poteva solo sperare di convincerlo a rispettare gli accordi offrendogli più soldi. Kong e il timoniere discussero animatamente per tutto il giorno, ma quando attraccarono per la notte il timoniere andò da Skelton e gli disse con cipiglio che non lo avrebbe trasportato più oltre: lì vicino c'era una capanna dove poteva alloggiare finché non fosse migliorato. E iniziò a scaricare il bagaglio. Skelton rifiutò di muoversi. Si fece dare la pistola da Kong e minacciò di sparare a chiunque si avvicinasse.

Kong, l'equipaggio e il timoniere se ne andarono nella capanna e Skelton rimase da solo. Le ore scorrevano lente, la febbre gli bruciava il corpo, la bocca era riarsa, e pensieri confusi gli martellavano il cervello. Poi si accesero delle luci e udì gente che parlava. Il boy cinese arrivò con il timoniere e un altro uomo che Skelton non aveva mai visto, che veniva dalla capanna vicina. Fece uno sforzo per capire cosa Kong gli stesse dicendo. Pareva che a poche ore di distanza vivesse un bianco e, se lui era d'accordo, il timoniere acconsentiva a portarlo fin lì.

«Molto meglio lei dice sì» fece Kong. «Forse uomo bianco ha lancia, poi noi scendiamo fino costa in fretta in fretta».

«Chi è il bianco?».

«Piantatore» disse Kong. «Questo uomo dice lui piantagione gomma».

Skelton era troppo esausto per continuare a discutere. Voleva solo che lo lasciassero dormire. Accettò il compromesso.

«A essere sincero,» concluse «del dopo non ricordo granché, fino al momento in cui mi sono svegliato ieri mattina, ospite non invitato in casa vostra».

«Non posso dargli torto, a quei daiacchi» disse Grange. «Quando sono venuto fino al *praho* e l'ho vista, credevo fosse spacciato».

Mentre Skelton raccontava la sua storia Mrs Grange sedeva in silenzio; la testa e la mano scattavano costantemente, come regolate da un ingranaggio, e quando il marito le chiese la salsa Worcester – e quella fu l'unica volta che le rivolse la parola – fu colta da un tale parossismo di gesti convulsi che faceva impressione a vedersi. Gli passò la salsa in silenzio. Skelton ebbe la spiacevole sensazione che avesse terrore del marito. Era curioso, perché a prima vista Grange non sembrava cattivo. Aveva una certa cultura ed era tutt'altro che stupido; e anche se i suoi modi non si potevano definire cordiali, era certo pronto a dare una mano per quanto poteva.

Terminarono il pasto e ognuno andò a stendersi, in attesa che passasse il momento più caldo della giornata.

«Ci ritroviamo alle sei per l'aperitivo» disse Grange.

Skelton si fece una bella dormita, un bagno, lesse un po', poi uscì sulla veranda. Dopo un attimo lo raggiunse Mrs Grange. Sembrava che lo stesse aspettando.

«Lui è tornato dall'ufficio. Non si stupisca se non le parlo. Se lui sospettasse che mi fa piacere averla qui, la sbatterebbe fuori domani».

Sussurrò queste parole d'un fiato e sparì. Skelton era perplesso. In quel modo strano era finito in una strana casa. Entrò nel salotto zeppo di cianfrusaglie e ci trovò Grange. L'evidente povertà del padrone di casa lo metteva a disagio; temeva che perfino le minime spese causate dalla sua presenza gli creassero delle difficoltà. Ma allo stesso tempo si era fatto l'idea che Grange fosse una persona stizzosa e suscettibile, e non sapeva come avrebbe preso un'offerta di aiuto. Decise di correre il rischio.

«Senta,» gli disse «pare proprio che io possa infliggervi la mia presenza per molti giorni. Mi sentirei molto meglio se mi permettesse di pagare per il vitto e l'alloggio».

«Oh, non è un problema, l'alloggio non mi costa niente perché la casa appartiene ai creditori ipotecari, e il vitto è poca roba».

«Be', poi ci sono le bevande, e devo anche approfittare delle sue scorte di tabacco e sigarette».

«Qui arriva al massimo una persona all'anno, ed è sempre l'ufficiale distrettuale o qualcuno del genere. D'altronde, quando uno è rovinato come me, niente fa più differenza».

«Se è così, spero che vorrà almeno accettare il mio equipaggiamento da campo. A me non servirà più, e se uno dei miei fucili le potesse tornare utile, sarei più che felice di lasciarglielo».

Grange esitò. I suoi occhietti astuti furono attraversati da un lampo di cupidigia.

«Con uno dei suoi fucili pagherebbe il vitto e l'alloggio di un anno».

«Affare fatto, allora».

E continuarono a parlare bevendo whisky e soda, secondo l'usanza orientale di celebrare il tramonto. Scoprirono di essere entrambi giocatori di scacchi e fecero una partita. Mrs Grange li raggiunse solo all'ora di cena. Il cibo era scialbo: una zuppa insipida, un pesce di fiume insapore, una bistecca tigliosa e una crème caramel. Norman Grange e Skelton bevvero birra, Mrs Grange acqua. Di sua spontanea iniziativa ella non spiccicava neanche una parola. Skelton riprovò la stessa sgradevole sensazione, che il marito la spaventasse a morte. Una o due volte, per normale cortesia, Skelton cercò di coinvolgerla nella conversazione, raccontandole una storia o chiedendole qualcosa, ma l'effetto era così visibilmente nefasto – la testa scattava con violenza, la mano era agitata dagli spasmi – che reputò più gentile non insistere. Appena terminarono di mangiare lei si alzò.

«Vi lascio perché gustiate il vostro porto in pace» disse.

Quando uscì entrambi gli uomini si alzarono in piedi. Era piuttosto assurdo, perfino sinistro, questo galateo scimmiottato in una stanza miserrima sulle rive di un fiume del Borneo.

«Devo solo aggiungere che di porto non ce n'è. Forse rimane un goccio di Bénédictine».

«Oh, non si preoccupi».

Parlarono ancora un po', poi Grange prese a sbadigliare. Si svegliava sempre prima dell'alba, e alle nove di sera non riusciva quasi a tenere gli occhi aperti.

«Bene, io mi ritiro» disse.

Fece un cenno di saluto a Skelton e senza tante cerimonie lo lasciò lì. Skelton se ne andò a letto a sua volta, ma non riusciva a prender sonno. Il caldo era opprimente, ma non era questo che lo teneva sveglio. In quella casa, e nelle due persone che ci abitavano, c'era qualcosa di orrendo. Non sapeva di preciso cosa fosse a dargli quella particolare sensazione di disagio, ma sapeva per certo che avrebbe reso grazie a Dio una volta fuori di lì, e lontano da loro. Per quanto Grange avesse parlato parecchio di sé, di lui Skelton non sapeva più del primo giorno. Aveva tutta l'aria di un normalissimo piantatore finito in disgrazia. Aveva acquistato il terreno subito dopo la guerra e ci aveva piantato gli alberi; ma quando questi erano cresciuti abbastanza da essere produttivi c'era stato un crollo nel commercio, e da allora non aveva fatto altro che lottare per la sopravvivenza. La tenuta e la casa erano ipotecate pesantemente, e ora che la gomma era tornata a vendere bene, tutti i suoi guadagni finivano dritti nelle mani dei creditori. Una storia comune, in Malesia. Quel che rendeva Grange singolare, è che era un uomo senza patria. Nato nel Borneo, vi era rimasto coi genitori fino all'età scolare, quindi l'avevano mandato in Inghilterra; a diciassette anni era ritornato e non era mai più partito, se non per andare in Mesopotamia durante la guerra. Dell'Inghilterra non gli importava niente; non aveva né parenti né amici. In genere i piantatori vengono dall'Inghilterra, come gli impiegati statali, e cercano di tornarci appena hanno un congedo, contando di ritirarvisi definitivamente al momento della pensione. Ma cosa poteva offrire l'Inghilterra a Norman Grange?

«Io sono nato qui» aveva detto «e qui morirò. Là sono un forestiero. Non mi piace il loro modo di fare e non capisco di cosa parlano. Però sono un forestiero anche qui; per i malesi e i cinesi, anche se parlo il malese come loro, sono un bianco e rimarrò sempre un bianco». Poi aveva aggiunto una cosa significativa: «Certo, se avessi avuto un po' di sale in zucca, avrei sposato un'indigena e avrei fatto una mezza dozzina di figli meticci. Non c'è altra soluzione per noi che siamo nati e cresciuti qui».

L'amarezza di Grange era troppo profonda perché la si potesse imputare alle sole difficoltà finanziarie. Aveva una pessima opinione degli altri bianchi della colonia; pareva convinto che lo disprezzassero perché era nato lì. Era inacidito e deluso, ma allo stesso tempo vanitoso. Aveva mostrato a Skelton i suoi libri. Non erano tanti, ma senz'altro i migliori che possa vantare la letteratura inglese. Grange li aveva letti e riletti, però non sembrava averne tratto né compassione né amore, né sembrava toccato dalla loro bellezza. Conoscerli così a fondo l'aveva solo reso più presuntuoso. Il suo aspetto esteriore, schietto e molto inglese, non pareva corrispondere alla sua personalità; dava la netta impressione di celare un essere estremamente sinistro.

105

La mattina seguente, di buon'ora per godersi il fresco, Skelton uscì sulla veranda con un libro e la pipa. Era ancora fiacco, ma si sentiva molto meglio. Dopo un poco arrivò Mrs Grange, con in mano un grosso album.

«Mi piacerebbe mostrarle qualche vecchia foto e qualche recensione. Non voglio che pensi che sono sempre stata così come mi vede. Lui è andato a fare il suo giro e non sarà di ritorno prima di due o tre ore».

Mrs Grange, con lo stesso vestito azzurro del giorno prima, i capelli altrettanto scompigliati, sembrava particolarmente eccitata.

«È tutto quello che ho per ricordarmi il passato. Nei momenti in cui non sopporto più questa vita, sfoglio il mio album».

Si sedette accanto a Skelton mentre lui girava le pagine. Le recensioni erano ritagli di giornali di provincia; i riferimenti a Mrs Grange, il cui nome d'arte era al tempo Vesta Blaise, erano sottolineati con cura. Dalle foto si capiva che doveva esser stata abbastanza carina, senza però niente di speciale. Aveva recitato in musical e varietà, farse e commedie, e mettendo insieme le immagini e i trafiletti si poteva facilmente concludere che la sua era stata la tipica carriera squallida e volgarotta di una ragazza senza grande talento, finita sul palcoscenico solo grazie a un bel faccino e una figura graziosa. La testa scattava, la mano tremava, e Mrs Grange guardava le foto e leggeva le recensioni come se le vedesse per la prima volta.

«Per sfondare bisognava essere raccomandati, e io non lo sono mai stata» disse. «Se solo ne avessi avuto la possibilità... Ho avuto sfortuna, non c'è dubbio su questo».

Era tutto così sordido, patetico.

«Mah, chissà se sarebbe poi stata bene come qui» disse Skelton.

Lei gli strappò l'album dalle mani e lo chiuse con violenza. Ebbe un attacco di tic da far paura.

«Che cosa vorrebbe dire con questo? Che cosa ne sa lei della mia vita qui? Mi sarei uccisa da anni, ma so che gli farei solo un piacere. È l'unico modo per prendermi la mia rivincita, vivere, e continuerò a vivere; vivrò finché vive lui. Oh, come lo odio. Ho pensato spesso di avvelenarlo, ma ho troppa paura. Non saprei come fare, e se morisse i cinesi si prenderebbero la casa e io mi troverei per strada. E dove andrei allora? Non ho un amico al mondo».

Skelton era inorridito. Ebbe il sospetto che fosse pazza. Non aveva idea di cosa rispondere. Lei gli lanciò un'occhiata penetrante.

«Suppongo sia sorpreso di sentirmi parlare così. Be', sono seria, sono dannatamente seria. Anche lui vorrebbe ammazzarmi e non ha il coraggio. E saprebbe anche come farlo, altroché. Conosce bene i modi che usano i malesi per uccidere. È nato qui. Non c'è niente che non conosca di questo posto».

Skelton si sforzò di dire qualcosa.

«Vede, Mrs Grange, io sono un perfetto estraneo. Non crede che sia poco saggio raccontarmi queste cose che non mi riguardano affatto? Dopotutto, la vostra è una vita molto solitaria. Posso ben immaginare che vi diate sui nervi a vicenda. Ma ora le cose iniziano a migliorare, e chissà che non possa far presto un viaggio in Inghilterra».

«Io non ci voglio andare, in Inghilterra. Non voglio che mi vedano così. Lo sa quanti anni ho? Quarantasei. E ne dimostro sessanta, lo so bene. È per questo che le ho fatto vedere quelle foto, perché vedesse che non sono sempre stata come adesso. Oh Dio, Dio, come ho buttato via la mia vita! Parlano dell'incantevole Oriente, non è vero? Che se lo tengano! Preferirei fare la camerinista in un teatrino di provincia, farci le pulizie, piuttosto che essere quella che sono adesso. Prima di venire qui non ero mai sola, stavo sempre in mezzo alla gente; lei non sa cosa vuol dire non aver nessuno con cui parlare dal primo all'ultimo giorno dell'anno. Doversi tenere tutto dentro. Le piacerebbe, a lei, non vedere mai nessuno, giorno dopo giorno, settimana dopo settimana, per sedici anni? Nessuno, se non l'uomo che odio di più al mondo. Le piacerebbe vivere con un uomo che la odia al punto da non riuscire neanche a guardarla in faccia?».

«Ma su, non può essere davvero così terribile».

«Le sto dicendo la verità. Perché dovrei mentirle? Non la vedrò mai più; cosa mi importa di quello che pensa di me? E se sulla costa racconta queste cose, cosa vuole che le dicano? Diranno: "Oddio, sei stato ospite di quella gente? Povero te. Lui non è neanche inglese e lei è pazza; ha un tic nervoso; dicono che è come se si stesse sempre pulendo il sangue dal vestito. Sono rimasti coinvolti in una faccenda davvero strana, ma nessuno è mai riuscito a venirne a capo; è accaduto tanto tempo fa e questa zona era ancora parecchio selvaggia". Una faccenda davvero strana, eh sì. Gliela racconterei per due ceci. Ci sguazzerebbero, giù al club. Potrebbe starci giorni senza mai pagarsi da bere. Che vadano al diavolo. Cristo, Cristo come odio questo paese! Odio quel fiume. Odio questa casa. Odio quella maledetta gomma. Quegli sporchi indigeni li detesto. E non vedrò altro finché crepo – finché crepo senza un dottore che mi allevii la pena o un amico che mi tenga la mano».

Scoppiò in un pianto isterico. Mrs Grange si era espressa con un'intensità drammatica di cui Skelton non la credeva capace. La sua greve ironia era dolorosa quanto la sua angoscia. Skelton era giovane, non aveva neanche trent'anni, e non sapeva come affrontare quella difficile situazione. Ma non poté tacere.

«Sono terribilmente dispiaciuto, Mrs Grange. Vorrei tanto poterla aiutare».

«Non le sto chiedendo aiuto. Nessuno può aiutarmi».

Skelton era scosso. Chissà a quale evento misterioso e forse terribile alludeva; forse il raccontarglielo senza dover temere le conseguenze le avrebbe dato sollievo.

«Non voglio ficcare il naso in cose che non mi riguardano, ma Mrs Grange, se crede che possa esserle di conforto raccontarmi... quella faccenda davvero strana a cui si riferiva or ora, io le posso promettere sul mio onore che non ne farò parola con anima viva».

Ella smise di piangere quasi di colpo, e gli lanciò una lunga occhiata penetrante. Esitò. Skelton ebbe l'impressione che il desiderio di parlare fosse quasi irresistibile. Ma alla fine scosse la testa e sospirò.

«Non servirebbe a niente. È tutto inutile, ormai».

Si alzò di scatto e lo piantò lì.

Seduti al brunch c'erano solo i due uomini.

«Mia moglie la prega di scusarla» disse Grange. «Ha una delle sue emicranie e starà a letto tutto il giorno».

«Oh, mi rincresce».

Skelton ebbe l'impressione che l'occhiata indagatrice lanciatagli da Grange celasse animosità e diffidenza. All'improvviso gli venne il dubbio che questi avesse scoperto che la moglie si era intrattenuta con lui, forse dicendo cose che non andavano dette. Skelton si sforzò di fare conversazione ma l'altro era taciturno, e finirono di mangiare senza una parola. Grange ruppe il silenzio solo al momento di alzarsi:

«Oggi lei mi sembra in forma, e immagino che non vorrà trattenersi in questo posto dimenticato da Dio più a lungo del necessario. Ho fatto in modo di trovarle due *praho* che la porteranno fino alla costa. Saranno qui domani mattina alle sei».

Skelton fu certo di aver colto nel segno; Grange sapeva, o credeva, che sua moglie si fosse espressa troppo liberamente, e voleva disfarsi al più presto del pericoloso visitatore.

«La ringrazio moltissimo» rispose Skelton, sorridendo. «Sono in forma smagliante».

Ma negli occhi di Grange non c'era nessun sorriso di rimando. Erano freddi e ostili.

«E se ci facessimo un'altra partita a scacchi, più tardi?» chiese.

«Ma certo. A che ora torna dal lavoro?».

«Oggi non ho molto da fare. Me ne starò qui a casa».

Skelton si chiese se fosse solo una sua impressione, o se Grange avesse davvero pronunciato quelle parole in tono minaccioso. Sembrava volesse evitare che Skelton e

109

sua moglie rimanessero soli. Mrs Grange non si vide neanche a cena. Loro bevvero il caffè e fumarono i *cheroot*. Poi Grange si alzò dicendo:

«Immagino che voglia andare a dormire, domani partirà presto. E io sarò già a fare il mio giro, quindi la saluto ora».

«Aspetti che le porto i miei fucili. Voglio che scelga quello che preferisce».

«Dico al boy di andare a prenderli».

I fucili arrivarono e Grange ne scelse uno. Quel bel regalo non sembrò dargli il benché minimo piacere.

«Lei lo sa che questo fucile vale molto più di quanto io possa aver speso per il tabacco, l'alcol e il cibo?» disse.

«Io so solo che lei mi ha salvato la vita, e non credo che un vecchio fucile sia una ricompensa troppo generosa».

«Va be', se la vede così, affari suoi. Ad ogni modo, grazie tante».

E si salutarono.

La mattina seguente, mentre i bagagli venivano caricati sui *praho*, Skelton chiese al boy dei Grange se, prima della partenza, avrebbe potuto salutare la signora. Il boy rispose che sarebbe andato a vedere. Mrs Grange uscì sulla veranda. Indossava una vestaglia rosa di seta giapponese pesantemente adorna di pizzi scadenti, lisa, spiegazzata, e non particolarmente pulita. Si era truccata con mano pesante; aveva le guance imbellettate e le labbra scarlatte. La testa sembrava scattare con più violenza del solito e la mano ripeteva quel gesto bizzarro. Dopo quanto gli aveva raccontato, a Skelton non sembrava più che volesse indicare qualcosa alle proprie spalle; era proprio come se cercasse continuamente di pulir via qualcosa dal vestito. Sangue, aveva detto.

«Non volevo partire senza averla ringraziata per la sua cortesia» disse.

«Oh, non c'è problema».

«Bene, addio allora».

«L'accompagno al molo».

Non era lontano. I marinai stavano ancora sistemando

i bagagli. Skelton guardò verso l'altra riva, dove si intravedevano le capanne indigene.

«Immagino che questa gente venga da laggiù. Sembra una villaggio piuttosto grande».

«No, sono solo quelle case che vede. Lì una volta c'era una piantagione di gomma, poi la compagnia ha fatto fallimento ed è stata abbandonata».

«Lei non ci va mai?».

«Io?» esclamò Mrs Grange. La voce le uscì stridula, e la testa e la mano furono stravolte da una raffica di convulsioni involontarie. «No! E perché dovrei?».

Skelton non capiva perché quella semplice domanda l'avesse turbata tanto. Ma ora i bagagli erano sistemati; si strinsero la mano. Lui salì sul *praho* e si accomodò. Salparono. Fece un ultimo cenno di saluto a Mrs Grange. Mentre l'imbarcazione scivolava nella corrente, lei strillò:

«Porti i miei omaggi a Leicester Square!».

Skelton tirò un profondo sospiro di sollievo, ora che con forti colpi di remo i vogatori lo portavano sempre più lontano da quella casa tremenda e da quelle due persone infelici e insieme repellenti. Adesso era contento di non aver sentito la storia che Mrs Grange aveva sulla punta della lingua; non voleva che qualche tragico racconto di peccato o di follia imprimesse quei due nella sua memoria in modo indelebile. Voleva dimenticarseli come si dimentica un brutto sogno.

Ma Mrs Grange seguì i due *praho* con lo sguardo finché non scomparvero dietro un'ansa del fiume. Poi tornò lentamente a casa e andò in camera sua. Era al buio, perché le persiane erano chiuse per il caldo, ma lei si sedette alla toeletta e si fissò nello specchio. Norman aveva fatto fare quella toeletta poco dopo il loro matrimonio. Certo, l'aveva costruita un artigiano indigeno, e lo specchio era arrivato da Singapore, però l'aveva disegnata lei, con le dimensioni e la forma che voleva lei, con tutto lo spazio per i profumi e i cosmetici. Era la toeletta che desiderava da anni e non aveva mai avuto. Si ricordava ancora della

111

gioia che aveva provato nel riceverla. Gettando le braccia al collo del marito, l'aveva baciato.

«Oh, Norman, sei così dolce con me» aveva detto. «Sono proprio una bambina fortunata ad avere incontrato un uomo come te, non è vero?».

Ma a quel tempo bastava poco per farla felice. Trovava divertente la vita sul fiume e la vita nella giungla, la crescita brulicante della foresta, gli uccelli col loro piumaggio allegro e le farfalle sgargianti. Era decisa a dare un tocco femminile alla casa; dispose attorno tutte le sue fotografie e comprò dei vasi per metterci i fiori; usciva a cercare una quantità di ninnoli da sistemare ovunque. «Rendono tutto più accogliente» diceva. Anche se non era innamorata di Norman, gli voleva bene. Ed era bello essere sposata. Era bello non avere niente da fare dalla mattina alla sera, se non ascoltare dischi, giocare a solitario, leggere romanzi. Era bello non doversi preoccupare del futuro. Certo, a volte si sentiva un po' sola, ma Norman diceva che ci si sarebbe abituata, e le aveva promesso che dopo un anno, al massimo due, l'avrebbe portata in Inghilterra per tre mesi. Che spasso presentarlo ai suoi amici! Era convinta che lui avesse subìto il fascino del palcoscenico, e si era dipinta come un'attrice molto più famosa di quanto non fosse realmente. Voleva lasciargli intendere che si era sacrificata, rinunciando a una carriera di successo per diventare la moglie di un piantatore. Aveva affermato di essere buona amica di parecchi divi con i quali non aveva mai neppure scambiato una parola. Quindi avrebbe dovuto stare un po' attenta, una volta lì, ma dopotutto il povero Norman di teatro ne sapeva quanto un neonato: se non riusciva a raggirare uno sprovveduto del genere dopo dodici anni di recitazione, be', voleva proprio dire che aveva sprecato il suo tempo. Il primo anno le cose andarono bene. A un certo punto credette di essere incinta, e quando scoprirono che non era vero rimasero entrambi delusi. Poi iniziò ad annoiarsi. Le sembrava di aver fatto le stesse stupide cose tutti i santi giorni per un'eternità, e la spaventava l'idea di dover continuare a rifare le stesse stupide cose per un'altra eternità. Norman le disse che quell'anno non poteva lasciare la piantagione. Ci fu una scenata. Fu allora che lui le disse una cosa che la allarmò.

«Io odio l'Inghilterra» le aveva detto. «Se fosse per me, non rimetterei più piede in quel posto infame».

In quel suo isolamento, Mrs Grange aveva preso l'abitudine di parlare da sola. Chiusa nella sua stanza, la si sentiva chiacchierare per ore; e in questo momento, affondando il piumino nella cipria e coprendosene pesantemente la faccia, si rivolgeva all'immagine nello specchio proprio come se stesse parlando con un'altra persona.

«Avrei dovuto capirlo lì. Avrei dovuto insistere per tornarci da sola, e chissà, magari una volta a Londra avrei trovato un ingaggio, con la mia esperienza. Allora gli avrei scritto che sarei rimasta là». I suoi pensieri si volsero a Skelton. «Peccato che non gliel'abbia raccontato» proseguì. «Avevo una mezza idea di farlo. Forse aveva ragione lui, forse mi avrebbe dato un po' di sollievo. Mi chiedo cos'avrebbe detto». Imitò il suo accento di Oxford. «Sono tremendamente dispiaciuto, Mrs Grange. Vorrei tanto aiutarla». Sghignazzò, ma sembravano quasi singhiozzi. «Avrei voluto raccontargli di Jack. Oh, Jack».

Dopo due anni di matrimonio era arrivato un vicino. Il prezzo della gomma a quel tempo era così alto che le piantagioni spuntavano come funghi, e una delle grosse compagnie aveva comprato un ampio appezzamento sull'altra riva del fiume. Avevano molti soldi e facevano tutto in grande. L'amministratore aveva una lancia a disposizione e, quando ne aveva voglia, in un momento attraversava il fiume e andava da loro a bere qualcosa. Jack Carr, si chiamava. Era un tipo molto diverso da Norman. Innanzitutto era un gentiluomo; aveva frequentato una scuola privata e l'università; era sui trentacinque, alto, non tarchiato come Norman, ma slanciato, quel tipo di fisico che sta d'incanto con l'abito da sera; aveva dei bei riccioli e gli occhi ridenti. Esattamente il suo tipo. Le era piaciuto subito. Era splendido avere qualcuno con cui parlare di Londra e del teatro. Era allegro e disinvolto, e faceva battute che si capivano. Nel giro di una settimana si sentì più a suo agio con lui che con suo marito, col quale era sposata da due anni. In Norman c'era un che di insondabile. Era pazzo di lei, beninteso, e di sé le aveva raccontato parecchio, ma le rimaneva la curiosa sensazione che ci fosse qualcosa che lui le nascondeva, non volontariamente, ma... be', non sapeva spiegarlo, forse era qualcosa di così alieno che non si riusciva a esprimere a parole. Più tardi, quando fu più in confidenza con Jack, gliene parlò, e lui rispose che era così perché Norman era nativo del Borneo; sebbene non avesse neanche una goccia di sangue indigeno nelle vene, qualcosa di quei luoghi aveva partecipato alla sua nascita, di modo che non era propriamente bianco; in lui c'era anche un animo orientale. Per quanto potesse sforzarsi, non sarebbe mai stato davvero inglese.

Mrs Grange cicaleggiava ad alta voce nella casa vuota – i due boy erano nel loro alloggio –, e il suono della sua voce, vibrando sul legno dei pavimenti, penetrando il legno delle pareti, era come l'arcano borbottio del vino nuovo che fermenta nella botte. Parlava come se Skelton fosse lì davanti a lei, ma in modo così confuso che egli avrebbe avuto difficoltà a seguire il racconto. Mrs Grange non ci aveva messo tanto a capire che Jack Carr la desiderava. La cosa la eccitò. Non era mai stata licenziosa, ma un paio di cosette, in tutti quegli anni sul palcoscenico, le erano capitate. Era impossibile andare in tournée per mesi e mesi senza mai divertirsi un po'. Adesso non si sarebbe concessa troppo facilmente, questo è certo; non voleva dare l'impressione sbagliata, però che diamine, con la vita che faceva sarebbe stata una stupida a non approfittare dell'occasione. E per quanto riguardava Norman, be', occhio non vede, cuore non duole. Si capivano, lei e Jack; sapevano che prima o poi sarebbe successo, era solo questione di aspettare il momento giusto; e il momento venne. Ma poi accadde qualcosa che non avevano affatto previsto: si innamorarono follemente l'uno dell'altra. Se Mrs Grange avesse davvero raccontato la storia a Skelton, la cosa l'avrebbe sorpreso quanto aveva sorpreso loro. Erano due persone qualunque, lui un normalissimo piantatore allegro e bonaccione, lei un'attricetta non troppo intelligente, neppure tanto giovane, e con poche qualità oltre al corpicino ben fatto e al bel musetto. Quella che era iniziata come un'avventura si tramutò inopinatamente in una passione devastante, e nessuno dei due aveva la tempra per sostenerne le smodate pulsioni. Desideravano solo stare insieme; altrimenti erano tristi e irrequieti. Lei già da un po' trovava Norman noioso, ma riusciva a sopportarlo perché era suo marito; però ora la irritava all'inverosimile, dato che stava tra lei e Jack. Scappare insieme era fuori discussione, Jack Carr aveva solo il suo stipendio, e non poteva permettersi di buttare alle ortiche un lavoro come quello. Incontrarsi non era semplice; dovevano correre dei rischi terribili. Forse quei rischi e gli ostacoli attizzavano il loro amore; passò un anno e quell'amore era bruciante come all'inizio, un anno di dolore e di piacere, di paura e fremito. Poi lei scoprì di essere incinta. Non aveva dubbi che il padre fosse Jack ed era al settimo cielo. La vita era difficile, è vero, a volte così difficile che temeva di non farcela, ma con un bambino, con il bambino di Jack, tutto si sarebbe risolto. Per partorire, si sarebbe recata a Kuching. Fu allora che Jack dovette andare a Singapore per lavoro; sarebbe stato via diverse settimane, ma le promise di tornare prima che lei partisse. L'avrebbe avvertita subito tramite un indigeno. Quando infine il messaggio arrivò, lei si sentì male per l'angoscia della propria gioia. Non l'aveva mai desiderato così intensamente.

«Pare che Jack sia ritornato» disse al marito durante la cena. «Domani mattina andrò a fargli visita, e a prendere le cose che aveva promesso di portarmi».

«Non vale la pena. Di sicuro passerà di qui in serata e te le porterà lui».

«Ma non sto nella pelle di riceverle!».

«Be', fa' come ti pare».

Non riusciva a non parlare di lui. Ormai era da un po' che lei e Norman sembravano avere poco da dirsi, ma quella sera, sovraeccitata, chiacchierò proprio come nei primi mesi di matrimonio. Si alzava sempre presto, alle sei, e il mattino seguente scese al fiume a farsi un bagno. Vicino a casa c'era una piccola insenatura con una spiaggetta di sabbia, e sguazzare in quell'acqua fresca e trasparente era un incanto. Su un ramo sopra la sua testa si era appollaiato un martin pescatore; il suo riflesso nell'acqua era di un blu splendente. Dopo aver bevuto una tazza di tè, ella salì su una canoa e un ragazzo daiacco la condusse sull'altra sponda. Ci volle una buona mezz'ora. Più si avvicinavano, più lei aguzzava gli occhi; Jack sapeva che sarebbe arrivata appena possibile, e doveva essere all'erta. Eccolo! La deliziosa fitta al cuore era quasi intollerabile. Egli scese a riva e l'aiutò a sbarcare. Salirono per il sentiero mano nella mano, e quando furono lontani dal ragazzo che l'aveva traghettata e dagli sguardi indiscreti dalla casa, si fermarono. Jack la strinse a sé e lei si abbandonò estatica nelle sue braccia. Gli si avvinghiò. Le labbra di lui cercarono le sue; in quel bacio c'era lo strazio della separazione e la delizia della nuova unione. Il miracolo dell'amore li colmò al punto che persero la nozione dello spazio e del tempo. Non erano più umani, erano due spiriti uniti dal fuoco divino. Non un solo pensiero li attraversò. Non pronunciarono una sola parola. All'improvviso si udì un violento scatto, seguito subito, quasi simultaneamente, da un rumore assordante. Terrorizzata, senza capire cosa stesse succedendo, ella lo abbracciò ancora più forte, e Jack la strinse spasmodicamente, da toglierle il respiro; poi lei sentì che le era crollato addosso.

«Jack!».

Cercò di sostenerlo, ma era troppo pesante, e quando egli cadde a terra cadde con lui. Poi lanciò un grido, perché aveva sentito un fiotto caldo: era impiastrata del suo sangue. Iniziò a urlare. Una mano l'afferrò bruscamente e la tirò in piedi. Era Norman.

«Norman, cos'hai fatto?».

«L'ho ammazzato».

Lei lo guardò istupidita. Lo spinse da parte.

«Jack! Jack!».

«Chiudi il becco. Vado a cercare aiuto. È stato un incidente».

Norman risalì il sentiero di corsa. Ella cadde in ginocchio e prese la testa di Jack tra le braccia.

«Amore mio» gemeva. «Oh, amore mio».

Norman ritornò con un paio di coolie e lo portarono su in casa. Quella notte lei ebbe un aborto spontaneo e stette così male che per giorni sembrò sul punto di morire. Quando si riprese aveva quel tic nervoso che non la lasciò più. Si aspettava che Norman la cacciasse, ma lui non lo fece, la dovette tenere con sé per sedare i sospetti. Tra gli indigeni si diffusero delle voci, e dopo un po' l'ufficiale distrettuale venne a fare molte domande; ma gli indigeni avevano paura di Norman e da loro non riuscì a cavare niente. Il ragazzo che l'aveva traghettata era scomparso. Norman disse che aveva avuto un problema con il fucile, Jack gli stava dando un'occhiata per vedere di cosa si trattasse, ed era partito un colpo. Da quelle parti la gente viene sepolta in fretta, e ormai anche se l'avessero disseppellito non sarebbe rimasto molto per provare che la storia di Norman era falsa. L'ufficiale era poco convinto.

«Questa storia mi puzza da matti,» aveva detto «ma di prove non ne ho, e mi sa che dovrò prendere per buona la sua versione».

Lei avrebbe dato qualsiasi cosa pur di andarsene, ma con quel disturbo nervoso non le restava nessuna possibilità di guadagnarsi da vivere. O rimaneva con lui, o moriva di fame; e Norman doveva tenersela, o finiva sulla forca. Da allora non era più successo niente, e ormai niente sarebbe più successo. Uno dopo l'altro, anni senza fine trascinavano la loro esausta lentezza.

Di colpo Mrs Grange tacque. Il suo udito fino aveva colto dei passi sul sentiero, e capì che Norman stava tornando dal suo giro. Con la testa che scattava furiosamen-

117

te, la mano scossa da quello spasmo incontrollabile, si mise a cercare il suo prezioso rossetto nel disordine della toeletta. Se ne imbrattò le labbra e poi, senza sapere perché, preda di un impulso morboso, si impiastricciò il naso fino ad assomigliare a un clown. Si guardò allo specchio e scoppiò in una risata.

«All'inferno, all'inferno la vita!» gridò.

HONOLULU

Il viaggiatore assennato si sposta esclusivamente con l'immaginazione. Un francese d'altri tempi (era di fatto un savoiardo) ha scritto un libro intitolato *Voyage autour de ma chambre*. Non l'ho letto e nemmeno so di cosa parla, ma quel titolo stuzzica la mia fantasia. In un simile viaggio potrei circumnavigare il globo. Un'icona appesa sopra il camino mi può portare in Russia: vaste foreste di betulle, bianche chiese a cupola. Il Volga è ampio e, nell'osteria sul limitare di un villaggio, omoni barbuti vestiti con pellicciotti di pecora sono al tavolo a bere. Dalla collinetta da cui Napoleone ha scorto Mosca per la prima volta osservo l'immensa città. La raggiungo e incontro le persone che conosco più intimamente di tanti amici: Aliosha, e Vronskij, e una dozzina d'altri. Ma lo sguardo cade su un oggetto di porcellana e annuso gli odori acri della Cina. Viaggio su una portantina lungo un sentiero rialzato che attraversa le risaie, oppure intorno a una montagna ricoperta di foreste. I portatori chiacchierano allegramente mentre arrancano nella smagliante luce mattutina, e di tanto in tanto, remoto e misterioso, si ode il profondo rintocco della campana di un monastero. Nelle strade di Pechino c'è una folla eterogenea, che si fa da parte per lasciar passare una fila di cammelli dai passi felpati che portano pellami e spezie sconosciute dai deserti rocciosi della Mongolia. A Londra, in certi pomeriggi invernali le nuvole sono così basse e pesanti che ti si stringe il cuore; se però guardi fuori dalla finestra puoi scorgere le palme da cocco sulla spiaggia di un'isola corallina. La sabbia è argentea e quando la percorri nel sole è così abbagliante che riesci a malapena a guardarla. In alto le gracole fanno un gran baccano, la schiuma batte incessante sulla barriera corallina. Questi sono i viaggi migliori, i viaggi che intraprendi seduto davanti al camino, perché in tal modo non ti giochi nessuna delle tue illusioni.

Ma c'è gente che beve il caffè col sale. Dicono che gli dia un sapore, un profumo, peculiare e ammaliante. Allo stesso modo ci sono luoghi, circondati da un'aura romanzesca, ai quali l'inevitabile disillusione che provi visitandoli aggiunge un gusto singolare. Ti aspettavi qualcosa di interamente bello, mentre l'impressione che hai è infinitamente più complessa di qualsiasi bellezza. È come il difetto nel carattere di un grand'uomo, che lo renderà forse meno ammirevole, ma certo più interessante.

Honolulu mi prese completamente alla sprovvista. È così lontana dall'Europa, il viaggio da San Francisco è così lungo, il suo nome ispira associazioni così strane e fascinose, che all'inizio non credevo ai miei occhi. Non che avessi un'idea precisa di cosa mi aspettasse, ma quel che trovai mi sorprese parecchio. È una tipica città occidentale. Le baracche sono fianco a fianco con ville di pietra: casupole fatiscenti accanto a boutique dalle grandi vetrine; per le strade sferragliano i tramvai; e lungo i marciapiedi sono allineate le Ford, le Buick, le Packard. I negozi offrono tutti gli indispensabili beni di consumo della civiltà americana. Ogni tre case c'è una banca e ogni cinque un'agenzia marittima.

Per le strade si accalca il più incredibile assortimento di gente. Gli americani, ignorando il caldo, portano soprabiti neri, colletti alti e inamidati, cappelli di paglia, cappelli flosci e bombette. I kanaka, la pelle di un bruno chiaro, i capelli crespi, indossano solo una camicia e un paio di pantaloni; ma i meticci sono elegantissimi, con cravatte svolazzanti e stivali di vernice. I giapponesi dal sorriso ossequioso sono di un'eleganza semplice in pantaloni di tela bianchi, mentre le loro donne, vestite alla foggia tradizionale, un bebè sulla schiena, li seguono a due passi di distanza. I bambini giapponesi, gli abiti dai colori splendenti, le testoline rasate, sembrano pittoresche bamboline. E i cinesi... Gli uomini, grassi e floridi, hanno un'aria bizzarra abbigliati all'americana, ma le donne sono incantevoli coi lisci capelli neri raccolti così stretti che scompigliarli sembra impossibile, e hanno un'aria linda con le tuniche e i pantaloni bianchi, azzurro polvere, o neri. E infine ci sono i filippini, gli uomini con enormi cappelli di paglia, le donne in vesti di mussola giallo splendente dalle grandi maniche a sbuffo.

È il punto dove Oriente e Occidente si incontrano. Il nuovissimo cammina accanto all'incommensurabilmente antico. E se non hai trovato la fiaba che ti aspettavi, hai scoperto qualcosa dal fascino singolare. Tutti questi forestieri vivono l'uno vicino all'altro, parlando lingue diverse, pensando pensieri diversi; credono in divinità diverse e diversi sono i loro valori; condividono due sole passioni, l'amore e la fame. E in qualche modo, osservandoli, hai l'impressione di una straordinaria vitalità. Sebbene l'aria sia così dolce e il cielo così blu, si ha il senso, e non saprei neanche dire perché, di una scottante passionalità che vibra trepidante nella folla. Sebbene il vigile indigeno all'angolo, in piedi sulla pedana, un manganello bianco per dirigere il traffico, dia alla scena un'aria di rispettabilità, ti rimane l'impressione che sia solo di superficie; appena sotto c'è qualcosa di buio e misterioso. Ti dà quello stesso brivido, quel leggero sussulto al cuore che provi la notte in un bosco, quando il silenzio è scosso all'improvviso dal battito cupo e insistente di un tamburo. Sei preda di una grande eccitazione, in attesa di qualcosa che non sai.

Se mi sono soffermato sulle contraddizioni di Honolulu è perché credo che queste siano centrali per la storia che voglio raccontare. È una storia di superstizione primitiva, e mi meraviglia che qualcosa di simile possa sopravvivere in una civiltà che, se pure non raffinata, è di certo assai complessa. Non mi capacito che cose tanto incredibili accadano, o almeno si creda che accadano, in mezzo a telefoni, tram e carta stampata. E l'amico che mi fece conoscere Honolulu incarna le stesse contraddizioni che, dal primo istante, mi colpirono come tanto tipiche della città.

Era un americano di nome Winter. Andai da lui con una lettera di presentazione scritta da un conoscente di New York. Era sulla cinquantina, con radi capelli neri, grigi sulle tempie, e un viso sottile dai tratti affilati. Aveva un guizzo negli occhi, ma i grossi occhiali di corno gli davano un'aria riservata piuttosto fuorviante. Alto, di costituzione segaligna, era nato a Honolulu, dove suo padre aveva un grande negozio di calzetteria e di tutto quanto un uomo dabbene potesse desiderare, dalle racchette da tennis ai cappelli da marinaio. Era un'attività fiorente e potevo ben capire l'indignazione di Winter *père* quando il figlio, rifiutando di seguire i suoi passi, aveva annunciato di voler fare l'attore. Il mio amico passò vent'anni sul palcoscenico, talvolta a New York, ma più spesso in compagnie di giro, poiché le sue doti erano modeste; alla fine però, visto che sciocco non era, concluse che era meglio vendere giarrettiere a Honolulu che recitare particine a Cleveland, in Ohio. Abbandonò il teatro e si dedicò agli affari. Credo che, dopo quell'esistenza precaria, apprezzasse appieno il lusso di guidare un macchinone e di vivere in una bella casa accanto al campo da golf, e dato che era un uomo capace sono certo che gestisse l'attività con competenza. Però non riuscì a staccarsi completamente dal mondo dell'arte, e non potendo più recitare si mise a dipingere. Mi portò nel suo atelier e mi mostrò il suo lavoro. Non era affatto male, ma certo non quello che mi sarei aspettato da lui. Dipingeva soltanto nature morte, quadri piccolini, più o meno venti per trenta, estremamente delicati e rifiniti. Aveva un'indubbia passione per i dettagli. I frutti ricordavano quelli del Ghirlandaio. Si rimaneva colpiti dalla sua pazienza, ma a impressionare davvero era la sua abilità. Posso immaginare che come attore avesse fallito perché le sue interpretazioni, studiate con tanta cura, non erano né abbastanza audaci né abbastanza particolari per bucare le luci della ribalta.

Mi divertiva l'aria padronale e al contempo ironica con cui mi mostrava la sua città. Pensava veramente che in tutti gli Stati Uniti non avesse pari, però si rendeva conto di quanto comica fosse questa convinzione. Mi portò a vedere i vari edifici, gongolando compiaciuto quando esprimevo sincera ammirazione per la loro architettura. Mi indicava le case dei ricchi.

«Questa è la casa degli Stubbs» disse. «È costata centomila dollari. La famiglia è una fra le più importanti, qui. Il vecchio Stubbs arrivò come missionario più di settant'anni fa».

Esitò un attimo, poi mi guardò con gli occhi che brillavano dietro i grandi occhiali tondi.

«Tutte le nostre famiglie importanti sono famiglie di missionari» disse. «A Honolulu conti qualcosa solo se tuo padre, o tuo nonno, convertiva i senzadio».

«Davvero?».

«La conosce bene la Bibbia?».

«Abbastanza» risposi.

«C'è un passo che dice: i padri han mangiato uva acerba e i denti dei figli si sono allegati. Mi sa che qui funziona in un altro modo. I padri han portato la cristianità al kanaka e i figli si sono presi la sua terra».

«Aiutati che il ciel t'aiuta» mormorai.

«Proprio così. Qui, una volta abbracciato il cristianesimo, agli indigeni non rimase molto altro. I re regalavano la terra ai missionari in segno di stima, e i missionari la compravano per accumulare ricchezze in paradiso. Fu certo un buon investimento. Un missionario cessò l'attività – suppongo si possa chiamarla così senza offesa – e

123

divenne agente immobiliare, ma fu un'eccezione: in genere erano i figli che si occupavano degli aspetti commerciali. Oh, è una gran cosa avere un padre venuto qui cinquant'anni fa a portare la fede».

Diede un'occhiata all'orologio.

«Diamine, si è fermato. Vuol dire che è ora di berci un cocktail».

Tornammo rapidamente in città percorrendo un'agevole strada costeggiata da ibischi rossi.

«È già stato all'Union Saloon?».

«No, non ancora».

«Allora andiamoci».

Sapevo che era il locale più famoso di Honolulu ed entrai con viva curiosità. Lo si raggiunge da King Street per uno stretto passaggio dove ci sono anche alcuni uffici, di modo che non si sa se le anime assetate siano dirette in uno di quelli, oppure al Saloon. È un'ampia sala quadrata con tre diverse entrate; dirimpetto al bancone, che corre per tutta la lunghezza, due angoli sono stati trasformati in séparé. La leggenda vuole che siano stati costruiti perché il re Kalakaua potesse bere senza esser visto dai suoi sudditi, ed è piacevole pensare che in uno o nell'altro di quei séparé egli, un sovrano nero come il carbone seduto con la sua bottiglia, si sia intrattenuto con Robert Louis Stevenson. Alla parete c'è un suo ritratto a olio in un'opulenta cornice dorata, ma ci sono anche due stampe della regina Vittoria. Poi vecchie incisioni settecentesche, una delle quali, e Dio solo sa come sia arrivata qui, tratta da una scena teatrale di De Wilde; oleografie ispirate ai supplementi natalizi del «Graphic» e dell'«Illustrated London News» di vent'anni prima; per il resto, pubblicità di whisky, gin, champagne e birra, fotografie di squadre di baseball o di orchestrine indigene.

Quel posto non sembrava appartenere all'agitato mondo moderno che ci eravamo lasciati alle spalle nelle strade assolate, bensì a un mondo morente. Il suo era il sapore del tempo che fu. Squallido e male illuminato, ave-

124

va un'aria vagamente misteriosa ed era facile immaginarlo come scenario di traffici loschi. Parlava di un passato torbido, in cui uomini spregiudicati erano pronti a giocarsi la vita e la monotonia dei giorni era scossa da atti violenti.

Quando entrai, il Saloon era abbastanza pieno. Alcuni uomini d'affari parlavano di lavoro al bancone, un paio di kanaka bevevano in un angolo. Due o tre clienti, forse dei negozianti, giocavano a dadi. Gli altri erano senz'altro gente di mare; capitani di cargo, primi ufficiali, ingegneri. Dietro il bancone, due grassi meticci vestiti di bianco, la pelle scura e liscia, spessi capelli crespi, occhi grandi e luminosi, preparavano il cocktail a cui il locale doveva la propria fama.

Winter sembrava conoscere almeno metà dei presenti, e quando arrivammo al bancone un ometto pingue e occhialuto, che se ne stava da solo, gli offrì da bere.

«No, sono io che la invito, capitano» rispose Winter.

Si rivolse a me.

«Le voglio presentare il capitano Butler».

L'ometto mi strinse la mano. Chiacchierammo un po', ma ero così preso da quel che avevo attorno che non gli prestai molta attenzione e, dopo aver ordinato un giro ciascuno, ci separammo. Tornati alla macchina, Winter mi disse: «Sono lieto di aver incrociato Butler. Ci tenevo che lei lo incontrasse. Cosa ne pensa?».

«Non ne ho pensato granché» risposi.

«Lei crede al sovrannaturale?».

«Non mi sono fatto un'opinione» dissi con un sorriso.

«Uno o due anni or sono gli è accaduta una cosa molto strana. Dovrebbe farsela raccontare da lui».

«Che tipo di cosa?».

Winter non rispose alla mia domanda.

«Non lo saprei spiegare» disse. «Ma sui fatti non c'è alcun dubbio. È interessato a cose come queste?».

«Cose come quali?».

«Sortilegi, magia e faccende così».

«Difficile trovare qualcuno che non lo sia».

Winter fece una breve pausa.

«No, è meglio che non glielo racconti io. Dovrebbe sentirlo dalle labbra di Butler per poter giudicare. Che programmi ha per stasera?».

«Oh, nessun programma».

«Bene, farò in modo di chiedergli se più tardi possiamo andare a trovarlo sulla sua barca».

Winter mi raccontò un po' di lui. Il capitano Butler aveva trascorso tutta la vita nel Pacifico. Un tempo se la passava molto meglio di adesso, era stato primo ufficiale e poi capitano di una nave passeggeri che faceva servizio lungo le coste della California, ma aveva perduto la nave e diversi passeggeri erano annegati.

«Alcol, suppongo» disse Winter.

Beninteso c'era stata un'indagine, che gli era costata il brevetto, e da allora era andato ancora più allo sbando. Per qualche anno aveva navigato nei Mari del Sud, ma ora portava una piccola goletta tra Honolulu e le isole dell'arcipelago; apparteneva a un cinese per il quale l'assenza del brevetto significava solo stipendio ridotto, e un bianco al comando tornava sempre comodo.

Ora che sapevo tutte queste cose di lui, feci lo sforzo di rammentarmi il suo aspetto. Mi ricordavo le lenti tonde e gli occhi azzurri dietro di esse, così man mano riuscii a ricostruire un'immagine. Era un ometto panciuto, privo di spigoli, la faccia come una luna piena e un piccolo naso tondo e grassoccio. I capelli erano biondi e corti, la faccia rossa e liscia. Le mani paffute, con fossette sulle nocche, le gambe corte e grosse. Era un buontempone, e le tragiche esperienze che aveva vissuto non sembravano averlo segnato. Anche se avrà avuto almeno trentaquattro o trentacinque anni, sembrava molto più giovane. Del resto gli avevo badato solo superficialmente e, ora che sapevo della catastrofe che gli aveva distrutto la vita, mi riproomisi, al nostro prossimo incontro, di stare più attento. È molto curioso osservare le diverse reazioni emotive delle diverse persone. Alcune possono affrontare atroci battaglie, il terrore di una morte imminente e inimmaginabili orrori, e la loro anima resta incolume, mentre in altre il tremolio della luna su un mare deserto o il canto di un uccello in un bosco provocano un sommovimento tale da trasformare il loro intero essere. C'entra con la forza o la debolezza, la mancanza di immaginazione o l'instabilità di carattere? Non lo so. Mentre mi raffiguravo la scena del naufragio, con le grida di chi annega e il terrore, e in seguito il calvario dell'inchiesta, l'amaro dolore di chi piangeva gli scomparsi e le dure accuse che egli dovette leggere sui giornali, la vergogna e l'infamia, mi ricordai con un certo turbamento che il capitano aveva raccontato con la schietta oscenità di un bambino delle ragazze hawaiane, di Iwelei – il quartiere a luci rosse – e delle sue fortunate avventure. Era facile al riso, mentre ci si sarebbe aspettati che non avrebbe potuto ridere mai più. Rividi i suoi scintillanti denti bianchi; erano la cosa più bella che aveva. Iniziò a interessarmi, e pensando a lui e alla sua allegra noncuranza mi scordai della faccenda che aveva dato spunto all'incontro. Volevo rivederlo per cercare di capire un po' meglio che tipo fosse.

Winter organizzò la cosa e dopo cena scendemmo sul lungomare. La scialuppa ci stava aspettando e raggiungemmo la goletta, ancorata nei pressi del frangiflutti. Quando accostammo udii il suono di un ukulele. Salimmo su per la scaletta.

«Immagino che sarà in cabina» disse Winter, facendo strada.

Era una piccola cabina disordinata e sporca, con un tavolo su un lato e un'ampia panca tutt'attorno, sulla quale dovevano probabilmente dormire i passeggeri tanto spericolati da imbarcarsi su una nave simile. Una lampada a petrolio dava una luce fioca. L'ukulele lo suonava una ragazza indigena; Butler ciondolava stravaccato sulla panca accanto a lei, la testa sulla sua spalla e il braccio attorno ai suoi fianchi.

«Non vorremmo disturbare, capitano» disse Winter scherzoso.

«Entrate, entrate» disse Butler, tirandosi su e dandoci la mano. «Cosa vi offro?».

Era una notte calda e nel vano della porta si scorgeva un'infinità di stelle in un cielo ancora quasi azzurro.

Il capitano Butler portava una canottiera che metteva in bella mostra le grasse braccia bianche, e un paio di pantaloni lerci. Era a piedi nudi, ma sulla testa riccia si era calcato un cappellaccio di feltro vecchio e sformato.

«Permettetemi di presentarvi la mia fanciulla. Non è un amore?».

Salutammo una ragazza davvero carina. Era un bel po' più alta del capitano, e le sue forme di una tale bellezza che nemmeno il camicione nero imposto dai missionari alle indigene recalcitranti riusciva a celare. Veniva da pensare che con l'età si sarebbe fatta più corpulenta, ma per ora era vivace e aggraziata. La sua pelle bruna era squisitamente luminosa, e gli occhi splendidi. I capelli neri, spessi e folti, erano raccolti attorno alla testa in una treccia compatta. Ci salutò sorridendo con incantevole naturalezza, scoprendo una fila di piccoli denti bianchi e regolari. Era una creatura seducente. Si vedeva che il capitano era pazzo di lei. Non riusciva a toglierle né gli occhi né le mani di dosso. E questo lo si poteva capire; la cosa un po' più strana è che anche la ragazza sembrava innamorata di lui. La luce nei suoi occhi era inequivocabile, le labbra rimanevano socchiuse come in un sospiro di desiderio. Era emozionante, e perfino un po' commovente, così che non potei fare a meno di sentirmi di troppo. Cosa c'entrava un estraneo con questa coppia trepidante d'amore? Avrei voluto che Winter non mi ci avesse portato. Ed ebbi l'impressione che la squallida cabina si fosse trasformata: ora sembrava la cornice ideale per quella passione estrema. Pensai che non l'avrei scordata mai quella goletta nel porto di Honolulu, ingombra di merci eppure, sotto l'immensità del cielo stellato, separata dal mondo intero. Mi piacque pensare ai due amanti che prendevano il largo insieme nella notte, solcando gli spazi vuoti del Pacifico da una verde isoletta collinosa all'altra. Una fievole brezza idilliaca mi sfiorò la guancia.

E tuttavia Butler era l'ultima persona al mondo alla quale si sarebbe associato l'idillio; era estremamente difficile capire che cosa in lui potesse suscitare amore. I vestiti che portava lo rendevano ancora più tracagnotto, e gli occhiali tondi sul viso tondo facevano pensare a un compassato cherubino, o a un curato in malora. Il suo eloquio era infarcito dei più pittoreschi americanismi, ed è solo per l'impossibilità di riprodurli che, con una gran perdita di vivacità, preferisco narrare con parole mie la storia che mi raccontò di lì a poco. Per di più era incapace di dire una frase senza metterci un'imprecazione, per quanto innocua, e il suo linguaggio, sebbene offensivo solo per le orecchie più pudiche, sulla carta risulterebbe molto volgare. Era di indole ilare, e forse questo giocava un ruolo non da niente nei suoi successi amorosi, poiché le donne, creature per lo più frivole che si annoiano a morte quando un uomo le tratta con serietà, resistono di rado al buffone che le fa ridere. Hanno un senso dell'umorismo rozzo: persino la dea Diana getterebbe il buon senso alle ortiche per le capriole di un pagliaccio. Mi resi conto che il capitano aveva un suo carisma. Se non avessi saputo del tragico naufragio, avrei pensato che fosse uno che non aveva mai avuto un cruccio in vita sua.

Al nostro arrivo Butler aveva suonato la campanella, e ora un cuoco cinese ci portò dei bicchieri e diverse bottigliette di soda; il whisky e il bicchiere vuoto del capitano erano già sul tavolo. Quando vidi il cinese strabuzzai gli occhi: era senza dubbio l'uomo più brutto che avessi mai visto. Era molto basso, tarchiato, e zoppicava vistosamente. Indossava calzoni e canottiera, bianchi un tempo ma ormai luridi; su una zazzera di capelli grigi e ispidi stava appollaiato un vecchio berretto da cacciatore in tweed: grottesco su qualsiasi cinese, su di lui era assurdo. Il faccione quadrato, piatto come se l'avesse colpito un pugno possente, era butterato dal vaiolo, ma la cosa più rivoltan-

te era il labbro leporino, molto pronunciato e mai opera-
to, che saliva a formare un angolo con il naso; nell'apertu-
ra si affacciava un'enorme zanna gialla. Era orribile. Entrò con una cicca di sigaretta all'angolo della bocca che,
non so perché, gli dava un'aria demoniaca.

Servì il whisky e stappò una bottiglietta di soda.

«Non mettercene troppa, John» disse il capitano.

Lui porse un bicchiere a ognuno senza proferire parola e uscì.

«Ho visto che osservava il mio cinesino» disse Butler,
con un ghigno sul faccione lucido.

«Non lo vorrei incrociare di notte» dissi.

«Certo è bruttarello» rispose il capitano, e per qualche motivo parve provare una strana soddisfazione. «Ma
a una cosa serve, lasciatemelo dire: ogni volta che lo vedi
devi berti un bicchiere».

In quel mentre scorsi una zucca calabash appesa al
muro e mi alzai per darle un'occhiata. Era da un po' che
ne cercavo una antica, e questa era la più bella che avessi
visto fuori da un museo.

«Me l'ha regalata il capo di una delle isole» commentò il capitano, osservandomi. «Gli ho fatto un servizietto
e voleva ringraziarmi come si deve».

«E c'è riuscito» risposi.

Mi stavo chiedendo se, discretamente, avrei potuto fargli un'offerta per la zucca; non potevo credere che un simile oggetto potesse avere un valore per lui, ma, come se
mi avesse letto nel pensiero, aggiunse: «Non la venderei
neppure per diecimila dollari».

«Lo credo bene» disse Winter. «Venderla sarebbe un
crimine».

«E come mai?» chiesi.

«C'entra con quella storia» rispose Winter. «Non è vero, capitano?».

«Eccome».

«Sentiamola, allora».

«La sera è ancora giovane» replicò lui.

La sera era tutt'altro che giovane quando infine Butler

soddisfò la mia curiosità; nel frattempo avevamo bevuto molto più whisky del necessario mentre il capitano raccontava le sue impressioni della San Francisco di un tempo e dei Mari del Sud. Finalmente la ragazza si addormentò. Si era accoccolata sulla panca, il viso appoggiato sul braccio scuro; il petto si alzava e scendeva delicatamente al ritmo del respiro. Nel sonno sembrava imbronciata, di una bellezza tenebrosa.

Il capitano l'aveva trovata su un'isola dell'arcipelago nel quale viaggiava con la sua bagnarola non appena c'era un carico da trasportare. I kanaka non amano il lavoro, e tutte le attività commerciali gli sono state soffiate dagli industriosi cinesi e dagli astuti giapponesi. Il padre della ragazza aveva una striscia di terra dove coltivava taro e banane, e una barca da pesca. Era lontanamente imparentato con il primo ufficiale della goletta, ed era stato lui a invitare il capitano a trascorrere un'oziosa serata nella loro casupola. Avevano portato una bottiglia di whisky e l'ukulele. Il capitano non era un tipo timido, e se vedeva una bella ragazza le faceva immancabilmente la corte. Parlava bene la lingua indigena e non gli ci volle molto per vincere la ritrosia della fanciulla. Passarono la serata a cantare e a ballare, e alla fine lei gli si era seduta vicina e lui la teneva abbracciata. Per via di un contrattempo dovettero rimanere sull'isola per diversi giorni e il capitano, che amava prendersela comoda, non fece alcuno sforzo per abbreviare il soggiorno. In quel piccolo porto accogliente stava benone, e la vita era lunga. La mattina e la sera si faceva una nuotata intorno alla goletta. Al porto c'era uno spaccio di forniture navali dove i marinai potevano bersi un whisky, e lì Butler passò gran parte del suo tempo, giocando a cribbage col proprietario meticcio. Arrivata la sera si incontrava con il primo ufficiale e insieme andavano a trovare la bella ragazza; cantavano qualche canzone e raccontavano storie. Fu il padre della ragazza a suggerirgli di portarsela via. Discussero della questione in tono amichevole mentre lei, accoccolata contro il capitano, lo incoraggiava con carezze e sorrisi languidi.

131

La ragazza gli piaceva, e lui era di indole piuttosto casa-
linga. A volte per mare lo prendeva il tedio, e non sarebbe stato male portare quella graziosa creatura sulla vecchia goletta. Aveva anche un occhio pratico, e doveva
ammettere che sarebbe stato utile avere appresso qualcuno che rammendasse i calzini e si occupasse della biancheria. Era stufo di farsi lavare le cose da un cinese che
faceva tutto a pezzi; le indigene erano molto più brave a
lavare, e di tanto in tanto, quando sbarcava a Honolulu,
il capitano ci teneva a fare la sua figura con un elegante
completo di tela. Si trattava solo di accordarsi sul prezzo.
Il padre voleva duecentocinquanta dollari ma il capitano, che non era precisamente un risparmiatore, semplicemente non li aveva. Tuttavia, un po' per la sua generosità, un po' per il viso vellutato della ragazza che sfiorava
il suo, non se la sentì di mercanteggiare. Propose di pagare centocinquanta dollari sull'unghia, e altri cento di lì
a tre mesi. Si discusse a lungo, e quella notte le parti non
trovarono un accordo. Il capitano però era ormai infer-
vorato, e non riuscì a dormire bene come suo solito. Continuava a sognare la deliziosa ragazza e ogni volta che si
svegliava sentiva ancora la pressione di quelle labbra delicate e sensuali sulle sue. La mattina seguente maledisse
una nottataccia a poker che, l'ultima volta che era stato a
Honolulu, l'aveva lasciato al verde. E se la sera prima era
innamorato, ora era pazzo di lei.

«Senti, Bananas,» disse al primo ufficiale «io quella
ragazza la devo avere. Vai dal vecchio e digli che la grana
gliela porto stasera, e che lei si prepari a partire. Credo
che domani all'alba riusciremo a salpare».

Non ho idea del perché l'ufficiale avesse quel soprann-
nome eccentrico. Si chiamava Wheeler, ma malgrado il
cognome inglese in lui non c'era una goccia di sangue
bianco. Era alto e ben fatto, sebbene un po' corpulento,
e molto più scuro di quanto non siano di solito gli hawa-
iani. Non era più giovane; i capelli spessi e crespi erano
grigi. Aveva gli incisivi d'oro e ne andava molto orgoglioso. Era affetto da un marcato strabismo che gli conferiva

un'espressione saturnina. Per il capitano, che non si tirava mai indietro se c'era da fare una battuta, quel difetto era un'inesauribile fonte di divertimento; non esitava a sbeffeggiarlo proprio perché sapeva quanto l'ufficiale fosse sensibile a quel riguardo. Bananas, a differenza di tanti indigeni, era un tipo taciturno, e Butler, se la sua bonarietà glielo avesse consentito, lo avrebbe trovato antipatico. Al capitano piaceva andare per mare con qualcuno con cui si potesse parlare, era un essere ciarliero e socievole, e trascorrere un giorno dopo l'altro con un tizio che non spiccicava mai parola era roba che avrebbe portato all'alcolismo un missionario. Faceva del suo meglio per scuotere l'ufficiale, cioè lo tormentava senza pietà, ma ridersela da solo era una magra soddisfazione e dovette concludere che, con o senza alcol, Bananas non era la compagnia adatta per un uomo bianco. Però era un buon marinaio e il capitano era abbastanza avveduto da riconoscere il valore di un primo ufficiale fidato. Non di rado, al momento di levare l'ancora, gli capitava di tornare a bordo così concio che riusciva solo a stramazzare nella sua cabina; in quei momenti era importante sapere che, contando su Bananas, poteva restarsene lì finché smaltiva la sbornia. Ma era un diavolo d'un asociale, e aver qualcuno con cui discorrere sarebbe stato meraviglioso. Quella ragazza era quel che ci voleva. Inoltre, con quella personcina ad aspettarlo a bordo, forse si sarebbe pure sbronzato un po' meno quand'era a riva.

Andò dal suo amico dello spaccio, e davanti a un bicchierino di gin gli chiese un prestito. Ci sono un paio di cosette che il capitano di una nave può fare per un fornitore navale, e dopo un quarto d'ora di discussione sommessa (non c'è motivo di sbandierare gli affari propri a destra e a manca) il capitano si ficcò un rotolo di banconote nella tasca dei pantaloni; quella sera, quando tornò alla goletta, aveva con sé la ragazza.

Le cose che il capitano Butler si era immaginato cercando delle ragioni per convincersi di quanto aveva già deciso, accaddero davvero. Non smise di bere, ma smise di bere smodatamente. Una serata coi ragazzi, quando era via da due o tre settimane, era piacevole, ma anche tornare da lei lo era; pensava alla sua ragazzina, al suo sonno delicato, e a come avrebbe aperto gli occhi pigramente e allungato le braccia una volta che si fosse chinato su di lei; già solo questo valeva un full a poker. Si rese conto che spendeva meno di prima, e siccome era un uomo generoso fece un bel gesto: le regalò alcune spazzole d'argento per i lunghi capelli, e una catenina d'oro, e un rubino artificiale per il suo dito. Accidenti, che meraviglia essere vivi!

Passò un anno, un anno intero, e ancora non era stufo di lei. Il capitano non era solito analizzare i propri sentimenti, ma tutto questo era così sorprendente che si impose alla sua attenzione. Quella ragazza doveva avere qualcosa di davvero straordinario. Era palese che più passava il tempo più gli piaceva, e talvolta lo sfiorava il pensiero che avrebbe potuto anche sposarla.

Poi, un giorno, Bananas non si fece vedere né a pranzo né per il tè. Butler non se la prese per la sua prima assenza, ma alla seconda domandò al cuoco cinese:

«Dov'è l'ufficiale? Niente tè?».

«No vuole».

«Sarà mica malato?».

«No so».

Il giorno dopo Bananas riapparve, ma più torvo che mai, e dopo cena il capitano chiese alla ragazza cosa c'era che non andava. Lei sorrise e scrollò le spalle graziose; gli disse che Bananas si era preso una cotta per lei ed era triste perché l'aveva rifiutato. Il capitano era bonario e poco geloso di natura; il fatto che Bananas si fosse innamorato lo divertiva moltissimo. Uno così strabico era messo davvero male. Al momento del tè lo stuzzicò allegramente. Faceva finta di parlare al vento, in modo che l'altro non potesse avere la certezza che lui sapeva, ma gli tirò un paio di stoccate mica male. La ragazza non trovò la cosa così spassosa, e in seguito lo pregò di non toccare più l'argomento. Quella serietà lo stupì. Lei gli disse che

134

non conosceva quelli della sua gente, che quando erano in preda alla passione erano capaci di tutto. Sembrava addirittura impaurita. A lui parve tutto così assurdo che scoppiò a ridere.

«Se ti dà fastidio, digli che me lo vieni a raccontare. Vedrai che si calma».

«È meglio se lo licenzi».

«Neanche per sogno. Lo so riconoscere un buon marinaio, io. Però se non ti lascia stare gli darò tante di quelle legnate che non se le scorda finché campa».

Forse la ragazza possedeva una saggezza rara per il suo sesso. Sapeva che era inutile discutere con un uomo che aveva preso una decisione, poiché l'avrebbe solo reso più cocciuto, e tacque. Così la miserabile goletta che scivolava sul mare silenzioso, tra quelle isole stupende, divenne il palcoscenico di un dramma teso e cupo di cui il capitano grassottello rimase totalmente all'oscuro. Le resistenze della ragazza infiammarono Bananas al punto che non era più un uomo, ma solo cieco desiderio. Non le faceva la corte gentilmente o gaiamente, ma con ferocia nera e selvaggia. Lei, dal canto suo, lo trattava con un disprezzo ormai carico d'odio, e quando lui la supplicava gli rispondeva con scherno aspro e rabbioso. La lotta proseguì in segreto, e quando il capitano dopo un po' le chiese se Bananas la importunava, lei mentì.

Ma una sera – erano a Honolulu – Butler tornò a bordo proprio al momento giusto. Sarebbero ripartiti all'alba. Bananas era sceso a riva, aveva bevuto qualche liquore indigeno ed era ubriaco fradicio. Il capitano, mentre ancora remava, udì rumori che lo sorpresero. Si precipitò su per la scaletta. Vide Bananas, fuori di sé, che cercava di forzare la porta della cabina. Urlava improperi alla ragazza. Giurava che l'avrebbe uccisa se non gli avesse aperto.

«Ma che diavolo stai facendo?».

Il primo ufficiale lasciò la maniglia, guardò il capitano con odio selvaggio, e fece per andarsene senza una parola.

«Fermati. Cosa facevi con quella porta?».

135

L'ufficiale non gli rispose; lo guardava con rabbia tetra e impotente.

«Ti insegno io a non fare il furbo con me, sporco negro strabico» disse il capitano.

Butler era almeno di una testa più basso dell'ufficiale e contro di lui non aveva speranza, ma era abituato a trattare con gli equipaggi indigeni e aveva il tirapugni a portata di mano. Non sarà un attrezzo degno di un gentiluomo, ma del resto il capitano Butler gentiluomo non era, né aveva l'abitudine di trattare con gentiluomini. Prima che Bananas capisse cosa fosse successo, il braccio destro del capitano era scattato e il pugno, coi suoi anelli di metallo, l'aveva colpito in pieno alla mandibola. Cadde come un toro al macello.

«Gli servirà da lezione» disse il capitano.

Bananas non si muoveva. La ragazza aprì la porta e uscì.

«È morto?».

«Ma no».

Chiamò un paio di uomini e fece portare il primo ufficiale nella sua cabina. Si strofinava le mani con soddisfazione e i suoi tondi occhietti azzurri brillavano dietro gli occhiali. Ma la ragazza se ne stava stranamente in silenzio. Lo cinse con le braccia come per proteggerlo da qualche male invisibile.

Ci vollero due o tre giorni perché Bananas si rimettesse in piedi, e quando lasciò la cabina la faccia era lacera e gonfia. Sotto la pelle scura si vedeva il livido violaceo. Butler lo scorse che si trascinava sul ponte e lo chiamò. L'ufficiale si avvicinò in silenzio.

«Senti un po', Bananas» gli disse, aggiustandosi gli occhiali sul naso scivoloso per via del gran caldo. «Non ti licenzierò per questo, ma adesso sai che quando pesto, pesto duro. Non dimenticartelo, e non farti più venire idee strane».

Quindi gli tese la mano e gli sorrise, quel sorriso allegro e smagliante che era quanto aveva di più attraente. Il primo ufficiale strinse la mano tesa e storse le labbra gonfie in un ghigno diabolico. Per il capitano la cosa era risolta e archiviata, e quando i tre sedettero insieme a cena derise Bananas per il suo aspetto. L'ufficiale mangiava a fatica e la sua faccia tumefatta, per di più distorta dal dolore, era davvero ripugnante.

Quella sera mentre se ne stava sul ponte a fumare la pipa, il capitano fu scosso da un brivido.

«Ma cosa c'ho da rabbrividire in una notte come questa» borbottò. «Magari ho qualche linea di febbre, è tutto il giorno che mi sento un po' strano».

Quando andò a letto prese del chinino, e la mattina seguente si sentì meglio, ma un po' sbattuto, come per i postumi di una sbronza.

«Dev'essere un disturbo al fegato» si disse, e prese una pastiglia.

Quel giorno ebbe scarso appetito e la sera si sentì davvero male. Passò al rimedio successivo, cioè si bevve due o tre whisky caldi, ma non lo aiutarono molto, e il mattino dopo guardandosi allo specchio constatò che non era affatto in forma.

«Se quando arriviamo a Honolulu non sono migliorato, sarà meglio passare dal dottor Denby. Lui mi sistemerà».

Non riusciva a mangiare. Tutti gli arti erano molli. Dormiva bene, ma si svegliava senza sentirsi riposato; al contrario, provava una strana spossatezza. E quell'ometto energico, che non sopportava nemmeno il pensiero di starsene a letto, doveva fare un vero e proprio sforzo per uscire dalla sua cabina. Dopo qualche giorno non ce la fece più a lottare contro la fiacchezza che lo opprimeva, e si rassegnò a rimanere a letto.

«Bananas sa occuparsi della nave» disse. «Non è la prima volta che gli tocca».

Ridacchiò tra sé e sé al pensiero di tutte le volte che se ne era rimasto stecchito in cabina dopo una serata coi ragazzi. Questo prima di avere la sua bella. Le sorrise e le strinse la mano. Lei era inquieta e confusa. Il capitano si accorse che si preoccupava per lui e cercò di rassicurarla:

non era mai stato malato in vita sua, e in una settimana al massimo sarebbe tornato sano come un pesce.

«Vorrei tanto che tu avessi licenziato Bananas» disse lei. «Mi sa che c'è lui dietro tutto questo».

«Ma per fortuna che non l'ho licenziato, o non ci sarebbe un cane a manovrare la barca. Lo so riconoscere un bravo marinaio, io». I suoi occhietti azzurri, ora piuttosto slavati, il bianco ingiallito, ammiccarono. «Non crederai mica che mi stia avvelenando, bimba?».

Lei non rispose, ma andò a parlare un paio di volte col cuoco cinese, e si prese molta cura del cibo del capitano. Butler però non mangiava quasi più, e lei solo con sommo sforzo riusciva a convincerlo a sorbire una zuppa due o tre volte al giorno. Si vedeva che era una cosa seria; perdeva peso rapidamente, e il suo faccione era pallido e contratto. Non aveva dolori, ma era ogni giorno più debole e più languido. Deperiva. Quella volta il loro giro durava circa un mese, e quando infine ritornarono a Honolulu il capitano era un po' preoccupato. Da ormai due settimane non lasciava il letto, e davvero non ce la faceva ad alzarsi per andare dal medico. Gli mandò un messaggio chiedendogli di salire a bordo. Il dottore lo visitò, ma non trovò nulla che spiegasse il suo stato. Non aveva neppure la febbre.

«Le cose stanno così, capitano» disse. «Non capisco cosa c'è che non va, e visitandola in questo modo non lo potrò mai capire: lei deve venire all'ospedale con me, dove la potremo tenere sotto osservazione. Fisiologicamente non c'è niente che non va, di questo sono certo, e credo che un paio di settimane all'ospedale basteranno per rimetterla in sesto».

«Io la mia nave non la lascio».

I padroni cinesi erano clienti strani, disse; se avesse lasciato la nave perché stava male, forse il cinese l'avrebbe licenziato, e non poteva permettersi di perdere il lavoro. Finché rimaneva dov'era il contratto lo tutelava, e aveva un ufficiale di prim'ordine. Inoltre, non poteva abbandonare la sua ragazza. Non esisteva infermiera migliore; se c'era qualcuno in grado si salvarlo, era lei. Tutti devono morire un giorno o l'altro, e lui voleva solo essere lasciato in pace. Non ascoltò le rimostranze del medico, che alla fine dovette arrendersi.

«Le prescrivo una medicina,» disse in tono dubbioso «veda un po' se le giova. Farà meglio a starsene a letto per un po'».

«Dottore, può stare tranquillo che non me ne andrò a spasso» rispose il capitano. «Mi sento debole come un fuscello».

Ma non aveva più fiducia in quella medicina di quanta ne avesse il dottore, e quando fu di nuovo solo si divertì ad accendersi il sigaro con la ricetta. Da qualche parte doveva trovarlo il divertimento, dato che il suo sigaro non sapeva di niente, e lo fumava solo per convincersi che non era troppo malato per fumare. Quella sera vennero a trovarlo un paio di amici, due comandanti di cargo che avevano saputo della sua malattia. Ne discussero davanti a una bottiglia di whisky e a un pacchetto di sigari filippini. Uno di loro si rammentò di un suo primo ufficiale che si era trovato nella stessa strana situazione, nessun medico in tutti gli Stati Uniti era stato in grado di curarlo. Poi su un giornale aveva visto la pubblicità di un farmaco brevettato, e si era detto che male non poteva fargli. Dopo due boccette era più forte di quanto non fosse mai stato in vita sua. Ma la malattia aveva dato a Butler una nuova, strana lucidità, e mentre parlavano era come se leggesse nei loro pensieri. Lo davano per morto. Quando se ne andarono gli venne paura.

La ragazza si accorse di quella debolezza. Era l'occasione che aspettava. Aveva insistito perché si lasciasse visitare da un medico indigeno, e lui si era sempre rifiutato fermamente; ma ora lo implorò. Lui la ascoltava con lo sfinimento negli occhi. Titubò. Era strano che il dottore americano non avesse capito quale fosse il problema, ma non voleva che lei pensasse che aveva paura. Se si fosse lasciato visitare da un negro dell'ostia, sarebbe stato solo per rassicurare lei. Le disse di fare quel che le pareva.

Il dottore indigeno venne la sera seguente. Il capitano giaceva da solo, in dormiveglia; la cabina era illuminata fiocamente da un'unica lampada a olio. La porta si aprì piano e la ragazza entrò in punta di piedi. Tenne la porta aperta e qualcuno la seguì senza far rumore. Il capitano sorrise di tutto quel mistero, ma era così debole ormai che il sorriso era solo un luccichio negli occhi. Il dottore era un vecchiettino tutto ossa e rughe, senza un capello in testa e con la faccia da scimmia. Era curvo e ritorto come un vecchio albero. Sembrava a malapena umano, ma gli occhi erano luminosi, e nella penombra parevano brillare di una luce rossastra. Portava una tuta da lavoro logora e sporca, e a parte la pettorina il torso era nudo. Si accovacciò e fissò Butler per dieci minuti. Poi gli passò le mani sui palmi e sulle piante dei piedi. La ragazza lo osservava con gli occhi sbarrati. Nessuno fiatò. Poi il medico chiese un indumento del capitano. La ragazza gli diede il cappellaccio di feltro che questi usava ogni giorno; l'indigeno lo prese e tornò a sedersi per terra, stringendolo forte con le mani, e dondolando lentamente avanti e indietro mormorò dei suoni indistinti a voce molto bassa.

Alla fine emise un breve sospiro e lasciò cadere il cappello. Estrasse una vecchia pipa dal taschino della tuta e l'accese. La ragazza andò a sederglisi accanto. Le sussurrò qualcosa, e lei trasalì violentemente. Per qualche minuto bisbigliarono concitati, poi si alzarono. Lei gli diede dei soldi e aprì la porta. Lui sgattaiolò via silenzioso com'era entrato. Allora la ragazza tornò dal capitano e si chinò su di lui in modo da potergli parlare all'orecchio.

«C'è un nemico che prega per la tua morte».

«Non dire sciocchezze, piccola» rispose lui spazientito.

«È la verità. È la sacrosanta verità. Per questo il dottore americano non poteva fare niente. La nostra gente invece può. L'ho già visto fare. Pensavo che essere un bianco ti proteggesse».

«Io non ho nemici».

«Bananas».

«Perché pregherebbe per la mia morte?».

«Dovevi licenziarlo prima».

«Se il mio problema è il vudù di Bananas, tra un paio di giorni sarò in piedi e potrò mangiare a piacimento».

Lei rimase in silenzio per un po', fissandolo intensamente.

«Non lo capisci che stai morendo?» gli disse alla fine.

Era quello che avevano pensato i due comandanti, ma loro non l'avevano detto. Il suo viso esangue fu scosso da un brivido.

«Il dottore dice che non ho niente di grave. Devo solo starmene a riposo per un po' e tutto si sistemerà».

Lei gli parlò nell'orecchio, come per paura che anche l'aria potesse ascoltare.

«Stai morendo, morendo, morendo. Te ne andrai con la luna vecchia».

«Buono a sapersi».

«Te ne andrai con la luna vecchia, a meno che Bananas non muoia prima di te».

Butler non era tipo da spaventarsi facilmente, e si era già ripreso dallo shock provocato da quelle parole e soprattutto da quei modi attutiti e veementi. Nei suoi occhi scintillò di nuovo un sorriso.

«Correrò il rischio, piccola».

«Mancano dodici giorni alla luna nuova».

Qualcosa nel tono della sua voce lo insospettì.

«Ascolta, ragazza mia, queste sono fandonie. Io non credo a una virgola. Però non voglio che ti saltino in testa idee strane su Bananas. Non sarà una bellezza, ma è un ufficiale di prima categoria».

Avrebbe continuato ancora a lungo, ma era esausto. All'improvviso si sentì svenire. Era sempre a quell'ora che stava peggio. Chiuse gli occhi. La ragazza rimase a guardarlo per un minuto, poi sgusciò via. La luna, quasi piena, tracciava una scia argentea sul mare scuro. Brillava in un cielo senza nuvole. Lei la fissò con terrore, perché sapeva che insieme a quella luna sarebbe morto l'uomo che amava. La vita del capitano era nelle sue mani. Lei lo poteva salvare, lei sola lo poteva salvare, ma il nemico era scaltro, e doveva essere scaltra anche lei. Sentì che qualcuno la stava guardando, e senza bisogno di voltarsi – le bastò quel senso di paura improvviso –, fu certa che dall'ombra gli occhi brucianti dell'ufficiale fossero fissi su lei. Non sapeva cosa fare; se lui poteva leggere i suoi pensieri era sconfitta in partenza, e con enorme sforzo svuotò completamente la testa. Solo la morte di Bananas poteva salvare l'uomo che amava, e lei poteva causare quella morte. Sapeva che Bananas avrebbe dovuto guardare dentro una zucca calabash piena d'acqua, e quando la sua immagine ci si fosse riflessa, se qualcuno avesse agitato l'acqua e spezzato il riflesso, lui sarebbe morto come se l'avesse colpito un fulmine; perché il riflesso era la sua anima. Ma chi conosceva quel pericolo meglio di Bananas? Lo si sarebbe potuto indurre a guardare solo grazie a una lusinga capace di placare tutti i suoi sospetti; non doveva accorgersi di avere un nemico che aspettava solo il momento buono per ucciderlo. La ragazza sapeva cosa fare, ma il tempo era poco, il tempo era tremendamente poco. Solo allora si accorse che Bananas se n'era andato. Respirò più liberamente.

Salparono due giorni dopo; ne rimanevano dieci prima della luna nuova. Il capitano Butler faceva spavento: era ridotto pelle e ossa e non riusciva più a muoversi senza l'aiuto di qualcuno. Parlava a malapena. Ma la ragazza non si azzardava ad agire. Sapeva che doveva essere paziente. L'ufficiale era scaltro, scaltro. Quando raggiunsero un'isoletta, una tra le più piccole dell'arcipelago, per depositare un carico, mancavano sette giorni. Il momento era arrivato. La ragazza portò fuori alcune delle sue cose dalla cabina che divideva col capitano e le avvolse in un fagotto che lasciò nella cabina di coperta, dove lei e Bananas erano soliti mangiare. A pranzo, quando entrò, egli si voltò di scatto e la ragazza capì che stava osservando il fagotto. Non dissero niente, ma ella sapeva che l'altro aveva iniziato a sospettare che volesse abbandonare la nave. La guardava con aria beffarda. A poco a poco, come per evitare che il capitano scoprisse le sue intenzioni, portò in quella cabina tutte le sue cose e anche alcuni indumenti del capitano, e ne fece dei fagotti. Alla fine Bananas non resse più il silenzio. Indicò un completo di tela.

«Cosa ci fai con quello?».

«Me ne torno alla mia isola» rispose lei con un'alzata di spalle.

Lui scoppiò in una risata che distorse la sua faccia tetra. Il capitano stava morendo e lei se la svignava con tutto quanto riusciva ad arraffare.

«E cosa fai se ti dico che quelle cose non le puoi prendere? Sono del capitano».

«A te non servono di certo».

Lì appesa c'era una zucca calabash, proprio quella che avevo visto entrando in cabina e di cui avevamo parlato. Lei la staccò dal muro. Era piena di polvere, quindi ci versò dentro dell'acqua e la strofinò con le dita.

«Cosa fai con quella?».

«La posso vendere per cinquanta dollari» disse.

«Se la vuoi prendere mi devi pagare».

«Che cosa vuoi?».

«Lo sai bene cosa voglio».

Ella lasciò che un fuggevole sorriso giocasse sulle sue labbra. Gli lanciò un'occhiata e si voltò rapidamente. Bananas emise un rantolo di desiderio. La ragazza scrollò piano le spalle. Con un balzo selvaggio egli le fu accanto e la strinse a sé. Lei rise. Le braccia, le sue vellutate braccia tonde, gli cinsero il collo, e gli si arrese voluttuosa.

Quando arrivò il mattino, ella lo svegliò da un sonno profondo. I primi raggi di sole filtravano nella cabina. Egli se la strinse al cuore. Poi le disse che Butler non sarebbe sopravvissuto più di un paio di giorni, e che il proprietario della nave non avrebbe trovato facilmente un altro bianco come capitano. Se Bananas si fosse offerto di lavorare per meno, avrebbe avuto il posto; lei poteva rimanere con lui. La fissò con occhi trepidanti d'amore. La ragazza gli si accoccolò contro. Lo baciò sulle labbra, nel modo straniero, nel modo in cui il capitano le aveva insegnato a baciare. E promise di restare. Bananas era ebbro d'amore.

Adesso o mai più.

Ella si alzò e andò al tavolo per sistemarsi i capelli. Non c'era uno specchio, quindi guardò nella zucca calabash, cercando il proprio riflesso. Pettinò i suoi bei capelli. Poi fece cenno a Bananas di avvicinarsi. Indicò la zucca.

«C'è qualcosa lì sul fondo» disse.

D'istinto, senza sospettare nulla, Bananas guardò dritto nell'acqua. Vi era riflesso il suo viso. In un lampo lei colpì l'acqua con le due mani che in mezzo agli spruzzi toccarono il fondo. Il riflesso andò in pezzi. Bananas balzò indietro con un grido rauco e guardò la ragazza, che aveva un'espressione di odio trionfante; poi gli occhi dell'ufficiale furono attraversati dall'orrore. La sofferenza contrasse quei lineamenti grossolani, ed egli crollò al suolo con un tonfo, come se avesse ingerito un forte veleno. Il corpo fu scosso da uno spasmo violento, poi rimase immobile. Lei, impassibile, si chinò, gli mise una mano sul cuore, poi gli chiuse le palpebre. Era morto stecchito.

Entrò nella cabina del capitano. Le guance di lui avevano ripreso un po' di colore; la guardò con aria sbigottita.

«Cos'è successo?» sussurrò.

Erano le prime parole che pronunciava da quarantotto ore a quella parte.

«Non è successo niente» rispose lei.

«Mi sento strano».

Poi chiuse gli occhi e si addormentò. Dormì per un giorno e una notte, e quando si svegliò chiese del cibo. Dopo due settimane si era rimesso in sesto.

Quando Winter e io tornammo verso riva era già mezzanotte passata, e avevamo bevuto innumerevoli whisky e soda.

«Allora, che ne pensa?» mi domandò.

«Che domanda! Se mi sta chiedendo una spiegazione, non ce l'ho di certo».

«Il capitano è convinto che sia tutto vero».

«Questo è ovvio; ma sa, mi interessa relativamente se sia vero o no, o il significato che può avere; quello che mi incuriosisce è che simili cose possano capitare a gente così. Mi chiedo cosa mai ci sia in quell'ometto tanto ordinario da suscitare una tale passione in quell'adorabile creatura. Mentre il capitano raccontava la sua storia la guardavo dormire, e ho avuto un paio di pensieri illuminanti sui miracoli di cui è capace l'amore».

«Ma quella non è mica la ragazza».

«Cosa diamine vuol dire?».

«Non ha notato il cuoco?».

«Certo. È l'uomo più brutto che abbia mai visto».

«È proprio per questo che Butler l'ha assunto. L'anno scorso la ragazza è scappata col cuoco cinese. Questa è un'altra. È solo da un paio di mesi che l'ha appresso».

«Che il diavolo mi porti».

«Il capitano è convinto che con quel cuoco può stare tranquillo. Però se fossi in lui non sarei così sicuro: non so cos'hanno quei cinesi, ma se vogliono piacere a una donna, quella non gli resiste».

I QUATTRO OLANDESI

L'hotel Van Dorth di Singapore era tutt'altro che sontuoso. Le stanze erano anguste e le zanzariere piene di macchie e rattoppi; le stanze da bagno, una in fila all'altra e staccate dalle camere, erano umide e maleodoranti. Ma aveva carattere. Ai miei occhi i suoi clienti, capitani di cargo giunti a destinazione, ingegneri minerari disoccupati, piantatori in vacanza, avevano un'aria più romantica di certi elegantoni, giramondo, ufficiali governativi con moglie, mercanti danarosi che danno pranzi di gala allo Europe, giocano a golf, vanno ai balli e sono tanto alla moda. Il Van Dorth aveva una sala da biliardo con un tavolo dal panno liso dove assicuratori e ingegneri navali giocavano a snooker. La sala da pranzo era ampia, spoglia, silenziosa. Famiglie olandesi in viaggio per Sumatra pasteggiavano in religioso silenzio, e uomini d'affari solitari venuti da Batavia divoravano lauti pasti assorti nella lettura del giornale. Due volte la settimana c'era il *rijsttafel*: allora arrivavano anche un po' di persone di Singapore particolarmente affezionate a quel piatto. L'hotel Van Dorth avrebbe dovuto essere un posto deprimente, ma per qualche ragione non lo era; lo salvava la patina del tempo. Aveva l'aroma di qualcosa di strano e quasi dimenticato. C'era una striscia di giardino che dava sulla strada, dove potevi berti una birra fredda all'ombra degli alberi. In quella città frenetica e affollata, malgrado lo sfrecciare delle macchine e il viavai continuo dei risciò, con il loro scalpicciare e il tintinnio delle campanelle, l'albergo conservava qualcosa della remota pace d'Olanda. Era la terza volta che alloggiavo al Van Dorth. Me ne aveva parlato il capitano di un cargo olandese, la motonave *Utrecht*, sul quale avevo viaggiato da Merauke, nella Nuova Guinea, a Makassar. Il viaggio era durato quasi un mese, poiché la nave si fermava a caricare o scaricare merce, a volte per un paio d'ore a volte per un giorno, in svariate isolette dell'arcipelago malese, le isole Aru e le isole Kai, Bandanaira, Amboina, e altre ancora di cui ho anche scordato il nome. Fu un viaggio delizioso, ameno e monocorde. Quando gettavamo l'ancora l'agente, in genere con il ministro residente olandese, ci raggiungeva con la loro lancia; allora ci riunivamo sul ponte sotto la tenda e il capitano faceva portare la birra. Si scambiavano notizie dell'isola con notizie del mondo. Portavamo i giornali e la posta. Se ci fermavamo abbastanza a lungo, il residente ci invitava a cena e, lasciando la nave in mano al secondo ufficiale, tutti noi – il capitano, il primo ufficiale, l'ingegnere, il commissario di bordo e io – ci stipavamo nella lancia e andavamo a riva. E passavamo una bella serata. Queste isolette, così simili l'una all'altra, stuzzicavano la mia fantasia solo perché sapevo che non le avrei mai più riviste. Questo me le rendeva stranamente irreali, e mentre ce le lasciavamo alle spalle ed esse scomparivano tra acqua e cielo, solo con uno sforzo dell'immaginazione potevo convincermi che non avessero cessato di esistere con l'ultimo mio sguardo.

Ma non c'era niente di illusorio, misterioso o fantastico nel capitano, nel primo ufficiale, nell'ingegnere, o nel commissario. Non avrebbero potuto essere più concreti. Erano i quattro uomini più grassi che avessi mai visto. All'inizio facevo una gran fatica a distinguerli, perché sebbene uno, il commissario, fosse scuro di capelli e gli altri biondi, erano incredibilmente simili. Erano tutti degli o-maccioni, con la faccia piena e imberbe, braccioni grassi, gambone grasse, pancioni grassi. Quando andavano a riva si abbottonavano la camicia *stengah* – il doppio mento debordava dal colletto e sembrava stessero per strozzarsi –, altrimenti la portavano aperta. Sudavano copiosamente e si asciugavano il faccione lucido con una bandana, facendosi vigorosamente aria con ventagli di foglie di palma. Vederli mangiare era uno spettacolo. Il loro appetito era senza fondo. Volevano il *rijsttafel* tutti i giorni, e sembravano fare a gara a chi si riempiva il piatto in modo più spropositato. Lo volevano piccante e molto condito.

«In qvesto paese puoi manciare solo se sapporito» diceva il capitano.

«L'unico modo per soprafifere in qvesto paese è manciare di gusto» faceva eco il primo ufficiale.

Erano amiconi, tutti e quattro; insieme si comportavano come scolaretti, facendosi degli scherzi assurdi. Conoscevano le barzellette degli altri a memoria, e uno non faceva in tempo a pronunciare l'attacco familiare che scoppiava a ridere violentemente, quelle risate profonde e tremule dei grassoni, e non riusciva più ad andare avanti, così anche gli altri si piegavano dalle risate. Si dondolavano sulle sedie, diventavano sempre più paonazzi e sempre più accaldati, finché il capitano gridava di portare le birre e ognuno, singhiozzante ma felice, si ciucciava la bottiglia in una sola sorsata estatica. Era da cinque anni che navigavano insieme e quando, poco tempo prima, al primo ufficiale era stata offerta una nave sua, aveva rifiutato. Non voleva lasciare i compagni. Avevano deciso di comune accordo che quando il primo di loro sarebbe andato in pensione, gli altri avrebbero fatto lo stesso.

«Grupo di amici e buona nafe. Buona pappa e buona birra. Cosa può folere di meglio l'uomo saggio?».

Sulle prime con me erano un po' freddi. Anche se la nave aveva posto per sei passeggeri, era raro che ce ne fossero, e comunque mai nessuno che non conoscessero già. Io ero uno sconosciuto e un forestiero. I quattro si divertivano tra loro e non volevano intrusi. Ma avevano tutti la passione del bridge, e capitava che il primo ufficiale o l'ingegnere avessero da fare qualcosa che impediva loro di giocare. Si decisero a tollerarmi quando scoprirono che ero pronto a fare il quarto ogni qual volta ne avessero bisogno. Il loro modo di giocare era incredibile come lo erano loro. Le puntate erano irrisorie, cinque centesimi a punto: non volevano portarsi via i soldi l'uno con l'altro, dicevano, giocavano per giocare. E che gioco! Erano tutti risoluti a prendere parte a ogni dichiarazione e non ce n'era una in cui non si dichiarasse almeno un piccolo slam. La regola era che se potevi dare una sbirciatina alle carte dell'avversario, lo facevi, e se potevi cavartela con un «passo», dicevi al partner quando non c'era pericolo che questo venisse dichiarato, così entrambi si sbellicavano dalle risate finché le lacrime rigavano le guance paffute. Ma se il partner insisteva a soffiarti la dichiarazione e annunciava un grande slam con cinque picche alla regina, mentre tu con i tuoi sette quadri ce l'avresti fatta tranquillamente, lo potevi sempre fregare con un *surcontre* senza neanche avere la mano. Lui andava sotto di due o tremila punti e i bicchieri sul tavolo danzavano per le risate che scuotevano gli avversari.

Non riuscivo mai a ricordarmi i loro difficili nomi olandesi, ma distinguerli anonimamente in base ai compiti, come i personaggi della commedia dell'arte, Pantalone, Arlecchino e Pulcinella, aggiungeva un che di grottesco alla loro buffonaggine. Già solo a vederli tutti e quattro insieme ti veniva da ridere, e credo che loro si divertissero non poco osservando lo stupore che suscitavano negli estranei. Dichiaravano di essere gli olandesi più famosi di tutte le Indie. Ma non li trovavo meno comici quando si facevano seri. A volte la sera tardi, quando avevano ormai messo da parte l'uniforme, uno di loro si sedeva sulla sdraio accanto alla mia vestito con la giacca del pigiama e un *sarong*, e mi apriva il suo cuore. L'ingegnere, prossimo al pensionamento, meditava di sposarsi con una vedova incontrata l'ultima volta che era tornato a casa, e di passare il resto della vita in un paesino dalle vecchie case di mattoni rossi sulle rive dello Zuyder Zee.

Il capitano invece era molto sensibile al fascino delle ragazze indigene, e il suo inglese incerto diventava quasi incomprensibile per l'emozione che lo assaliva quando mi descriveva l'effetto che queste gli facevano. Un giorno si sarebbe comprato una casa sulle colline di Giava e avrebbe sposato una bella giavanese. Erano così piccine e gentili e silenziose; l'avrebbe vestita di *sarong* di seta, le avrebbe dato collane d'oro da portare attorno al collo e braccialetti d'oro per le sue braccia. Ma l'ufficiale lo scherniva.

«Che sciochetze. Poi lei se la fa con tutti tuoi amici, e i serfi e tutti. Qvando te ne fai in pensione, amico mio, non è di una moglie che afrai bisogno ma di un'infermiera».

«Io?» gridava il capitano. «Io afrò bisogno di una moglie anche qvando ho otanta anni!». L'ultima volta che la nave si era fermata a Makassar aveva avuto un intrallazzo con una ragazzina e mentre ci avvicinavamo al porto lui era tutto sottosopra. Il primo ufficiale scrollava le grasse spalle indulgenti. Il capitano perdeva la testa per tutte le gatte morte che gli capitavano a tiro, ma quella passione durava il tempo di arrivare al porto successivo, e allora il primo ufficiale doveva sistemare le cose. E sarebbe andata così anche stavolta.

«Il fecchio soffre di una degenerazione cardiaca dofuta al grasso. Ma finché ci sono io a gvardargli le spalle, non sucede niente di grafe. Butta fia i suoi soldi, e qvello è un po' pecato, però se ne ha da butare fia, che lo faccia pure».

Il primo ufficiale aveva un animo filosofico.

Io sbarcai a Makassar; dissi addio ai miei quattro grassi amici.

«Fai un altro fiaggio con noi» mi dissero. «Torna l'anno prossimo, o qvello doppo, e ci troferai qvi, proprio come sempre».

Da allora erano trascorsi parecchi mesi e avevo visitato

diversi posti nuovi. Ero stato a Bali, Giava, Sumatra, e in Cambogia e Annam; e ora, seduto nel giardino dell'hotel Van Dorth, mi sembrava di essere tornato a casa. La mattina presto l'aria era fresca, e dopo aver fatto colazione sfogliavo i numeri arretrati dello «Straits Times» per scoprire cos'era successo nel mondo dall'ultima volta che avevo avuto in mano un giornale. Poca roba. All'improvviso mi cadde l'occhio su un titolo: *La tragedia della «Utrecht».* *Commissario e ingegnere di bordo: innocenti.* Lessi il trafiletto distrattamente, poi mi drizzai sulla sedia. La *Utrecht* era la nave dei miei quattro olandesi, e a quanto pare il commissario e l'ingegnere erano stati processati per omicidio. Non potevano essere i miei due grassi amici! Il giornale riportava i nomi, ma i nomi non mi dicevano niente. Il processo si era svolto a Batavia. L'articoletto non forniva altri dettagli, annunciava solo che i giudici avevano ascoltato le arringhe dell'accusa e della difesa ed avevano pronunciato il verdetto. Ero strabiliato. Era impensabile che i due uomini che conoscevo avessero commesso un omicidio. Non riuscivo a capire chi fosse la vittima. Cercai nei numeri precedenti del giornale. Niente.

Andai dal direttore dell'albergo, un olandese brillante che parlava un ottimo inglese, e gli mostrai il trafiletto.

«Io ci sono stato su quella nave. Ci sono stato per quasi un mese. Questi non possono essere gli uomini che ho conosciuto. I miei erano enormemente grassi».

«Sì, proprio così» rispose. «Erano famosi in tutte le Indie olandesi, i quattro più grassi in servizio. È stata una cosa terribile. Ha provocato molto scalpore. Ed erano buoni amici. Li conoscevo tutti. Delle ottime persone».

«Ma cos'è successo?».

Mi raccontò la storia e rispose alle mie domande agghiacciate. Ma c'erano tante cose che volevo sapere e che lui non mi poteva dire. Era tutto così confuso. Era incredibile. C'erano solo congetture su quello che era accaduto davvero. Poi il direttore si dovette occupare di un cliente e io me ne tornai in giardino; ma iniziava a fare caldo e mi ritirai in camera. Mi sentivo stranamente sconvolto.

Pareva che in uno dei viaggi il capitano avesse portato a bordo una ragazza malese con cui aveva una relazione; mi chiedevo se fosse quella che bramava di incontrare quando c'ero io. Gli altri tre erano contrari: cosa se ne facevano di una donna sulla nave? Avrebbe rovinato tutto. Ma il capitano aveva insistito e lei si era imbarcata. Immagino che fossero tutti gelosi di lei. Quel viaggio fu meno divertente degli altri. Quando volevano giocare a bridge, il capitano era in cabina ad amoreggiare con la fanciulla; quando passavano una serata a riva, al capitano sembrava che il tempo non passasse mai, finché non tornava da lei. Era innamorato perso. Fine dello spasso. Il primo ufficiale era ancora più amareggiato degli altri: era il migliore amico del capitano, navigavano insieme da quando avevano lasciato l'Olanda; più di una volta avevano discusso dell'infatuazione del capitano in toni accesi. Al momento quei due buoni amici non si rivolgevano la parola se non quando glielo richiedeva il dovere. Era la fine di quel rapporto speciale tra i quattro ciccioni che durava da tanto tempo. Le cose andarono di male in peggio; i membri dell'equipaggio avevano la sensazione che stesse per accadere qualcosa di brutto. Disagio. Tensione. Poi una notte la nave fu scossa dal rumore di uno sparo e dalle grida della ragazza malese. Il commissario e l'ingegnere si erano precipitati fuori dalle loro cabine e davanti alla porta del primo ufficiale avevano trovato il capitano con una pistola in pugno. Li aveva spinti da parte e se n'era andato sul ponte. Loro erano entrati e avevano trovato il primo ufficiale morto e la ragazza rannicchiata in un angolo. Il capitano li aveva trovati a letto insieme e aveva fatto fuori l'ufficiale. Come l'avesse scoperto, o cosa ci fosse dietro quella tresca, nessuno lo sapeva. Era stato l'ufficiale a sedurre la ragazza per vendicarsi del capitano, o era stata lei a irretirlo, conscia del suo malanimo e ansiosa di placarlo? Era un mistero che sarebbe rimasto insoluto. Mi si affollavano alla mente dieci diverse spiegazioni. Poi, mentre il commissario e l'ingegnere erano ancora nella cabina, paralizzati dall'orrore, era echeggiato

153

un secondo sparo. Capirono al volo cos'era successo. Corsero dall'amico: il capitano era andato nella sua cabina e si era fatto saltare le cervella. Poi la storia si faceva oscura ed enigmatica. Il mattino seguente non si trovò traccia della ragazza malese, e quando il secondo ufficiale, che aveva preso il comando della nave, l'aveva riferito al commissario, questi aveva risposto: «Si sarà gettata in acqua. Era la cosa migliore che potesse fare. Meglio perderla che trovarla». Però, poco prima dell'alba, uno dei marinai di guardia aveva visto il commissario e l'ingegnere che trasportavano un fagotto ingombrante, più o meno delle dimensioni di una ragazza indigena; i due si erano guardati intorno per accertarsi che non ci fosse nessuno, e l'avevano gettato a mare. Era opinione di tutto l'equipaggio che per vendicare i loro amici i due avessero fatto irruzione nella cabina della ragazza e l'avessero strangolata per poi gettare il corpo in acqua. Quando la nave arrivò a Makassar furono arrestati e processati per omicidio, però le prove erano inconsistenti e vennero assolti. Ma in tutte le Indie si sapeva che il commissario di bordo e l'ingegnere avevano fatto giustizia sommaria di quella sgualdrinella che aveva causato la morte dei loro amatissimi amici.

E così ebbe fine la comica e celebre amicizia dei quattro grassi olandesi.

LA SACCA DEI LIBRI

C'è chi legge per istruirsi, ed è cosa encomiabile, e chi per diletto, ed è cosa innocua; ma altri, e non sono pochi, leggono perché non possono farne a meno, e direi che ciò non è né innocuo né encomiabile. Io faccio parte di questa deplorevole categoria. Dopo un po' le conversazioni mi annoiano, le partite mi stancano, e i pensieri, spesso decantati come l'inesauribile risorsa della persona assennata, tendono a inaridirsi. Allora mi lancio sui libri come l'oppiomane sulla pipa. Preferirei leggere il catalogo degli spacci dell'esercito o l'orario delle ferrovie piuttosto che niente del tutto, e di fatto ho trascorso non poche ore piacevoli a leggere proprio quelli. Per un certo periodo non sono uscito di casa senza una guida delle librerie di seconda mano. Non conosco lettura più succosa. Leggere in questo modo non è certo meno biasimevole del consumo di stupefacenti, e non finirà mai di meravigliarmi la faccia tosta di quei lettori assidui che, solo per il fatto di essere tali, guardano gli illetterati dall'alto in basso. Dal punto di vista di quale eternità aver letto mille libri è meglio di aver arato un milione di solchi? Suvvia, ammettiamolo, per noi leggere è soltanto una droga: chi, in questa cricca, non conosce l'inquietudine che ci assale se siamo stati troppo a lungo senza leggere, l'ansia e l'irritabilità, e il sospiro di sollievo alla vista di una pagina stampata? Perciò evitiamo di essere più boriosi di quei poveracci che sono schiavi della siringa o della bottiglia.

E proprio come il drogato non si sposta mai senza portarsi appresso una buona scorta del suo balsamo mortale, io non vado da nessuna parte senza una quantità sufficiente di roba da leggere. I libri mi sono indispensabili al punto che se in treno mi rendo conto che i miei compagni di viaggio non se ne sono portati nemmeno uno, mi assale un vero e proprio sconforto. Ma quando mi preparo a partire per un viaggio lungo, il problema assume dimensioni drammatiche. Ho imparato la lezione a mie spese. Una volta, imprigionato da una malattia in un villaggio sulle colline di Giava per oltre tre mesi, finii la mia provvista di libri e, non sapendo l'olandese, mi trovai costretto ad acquistare le antologie scolastiche grazie alle quali i giavanesi intelligenti, immagino, imparano il francese e il tedesco: così dopo la bellezza di venticinque anni tornai a leggere il frigido teatro di Goethe, le favole di La Fontaine, e le tragedie del tenero e meticoloso Racine. Nutro la massima ammirazione per Racine, ma devo ammettere che leggere i suoi drammi uno dopo l'altro comporta un certo sforzo per una persona che soffre di colite. Da allora mi sono ripromesso di viaggiare sempre con una grande sacca, una di quelle per la biancheria sporca, piena fino all'orlo di libri adatti a ogni situazione e a ogni umore. Pesa una tonnellata e anche i portatori più forti vacillano sotto il suo peso. Gli impiegati doganali la guardano con sospetto, ma poi si ritraggono costernati non appena do loro la mia parola che contiene soltanto libri. La cosa scomoda è che il libro che all'improvviso smanio di leggere si trova regolarmente sul fondo, e mi è impossibile raggiungerlo senza rovesciare tutto per terra. Non fosse stato per questo, però, forse non avrei mai sentito la singolare storia di Olive Hardy.

Girovagavo per la Malesia, alloggiando dove capitava,

una settimana o due se c'era un albergo o un alloggio governativo, un paio di giorni se dovevo infliggere la mia presenza a un piantatore o a un ufficiale distrettuale della cui ospitalità non volevo abusare; e in quel momento mi trovavo a Penang. È un villaggio grazioso, con un albergo che ho sempre trovato molto gradevole, ma non è certo un luogo ricco di svaghi per un forestiero, e il tempo passava un po' troppo lentamente. Un mattino ricevetti la lettera di un signore che conoscevo solo di nome, Mark Featherstone. Sostituiva il ministro residente, che era in congedo, in un luogo chiamato Tenggarah, un sultanato dove si stava per celebrare una qualche festività dell'acqua; Featherstone sosteneva che l'avrei trovata degna di interesse, e si offriva di ospitarmi per alcuni giorni. Risposi con un telegramma dicendo che accettavo con grande piacere, e il giorno dopo presi il treno per Tenggarah. Featherstone venne a prendermi alla stazione. Avrà avuto trentacinque anni, era alto e di aspetto piacevole, con occhi belli e tratti forti e severi. Aveva ispidi baffi corvini e sopracciglia folte. Sembrava più un soldato che un ufficiale governativo. Indossava con grande eleganza un completo di tela molto raffinato e un casco coloniale bianco. Era un po' timido, il che stupiva in un tipo gagliardo dall'aspetto così risoluto, ma immaginai che semplicemente non fosse abituato alla compagnia di un essere strano come uno scrittore, e sperai di riuscir presto a metterlo a suo agio.

«I miei boy si occuperanno del suo *barang*» disse. «Noi andiamo al club. Dia loro le chiavi e avranno disfatto le valigie prima del nostro ritorno».

Risposi che avevo dei bagagli ingombranti e che avrei preferito lasciare alla stazione quel che non mi serviva. Non ne volle sapere.

«Non si proccupi. A casa saranno più al sicuro. È sempre meglio avere il proprio *barang* con sé».

«Va bene».

Consegnai le chiavi e il tagliando per il baule e la sacca

dei libri al boy cinese che era arrivato con Featherstone. Davanti alla stazione ci aspettava una vettura.

«Lei gioca a bridge?».

«Certo».

«Credevo che gli scrittori non giocassero».

«E di fatto è così» risposi. «Di solito considerano i giochi di carte come un segno di deficienza intellettuale».

Il club era un bungalow, gradevole, ma piuttosto modesto; c'era un'ampia sala di lettura, una sala da biliardo con un unico tavolo, e una stanzetta per le carte. Era vuoto, a parte una o due persone che leggevano i settimanali inglesi, quindi uscimmo sui campi da tennis dove c'era chi faceva qualche scambio. Sulla veranda parecchia gente osservava le partite, fumava, sorseggiava dei cocktail. Feci la conoscenza di qualcuno. Presto iniziò a imbrunire e i giocatori stentavano a vedere la pallina. Featherstone chiese a uno dei presenti se gli andava di unirsi a noi per un bridge e questi acconsentì. Featherstone cercò il quarto, scorse un tale che sedeva un po' in disparte, esitò un attimo, e andò a parlargli. Scambiarono qualche parola, tornarono verso di noi e ci spostammo nella sala da gioco. Fu un'ottima partita. Non prestai particolare attenzione agli altri due giocatori; mi offrirono da bere, e io, provvisoriamente membro del club, restituii la cortesia. Erano bicchierini piccoli, e nelle due ore di gioco ci mostrammo tutti generosi senza per questo consumare troppo alcol. Quando l'ora suggerì che il prossimo sarebbe stato l'ultimo rubber, dai whisky passammo ai gin pahit. Finita la partita, Featherstone chiese il segnapunti e regolammo le vincite e le perdite di ognuno. Uno di loro si alzò.

«Bene, mi tocca andare, ora» disse.

«Torna alla tenuta?» chiese Featherstone.

«Sì» rispose. Si rivolse a me. «Sarà ancora qui domani?».

«Spero proprio di sì».

E se ne andò.

«Vado a prendere la consorte e cenerò a casa» disse l'altro.

«Potremmo andarcene anche noi» fece Featherstone.

«Quando vuole» risposi.

Salimmo in macchina e ci dirigemmo verso casa. Era un tragitto abbastanza lungo. Al buio vedevo ben poco, ma a un certo punto mi accorsi che stavamo risalendo un pendio piuttosto ripido. Poi arrivammo alla residenza. Era stata una serata come tante altre, piacevole, ma senza niente di straordinario, e non so quante serate identiche io abbia trascorso nella mia vita. Ero certo che non avrebbe lasciato traccia nella mia memoria.

Featherstone mi condusse in salotto. Sembrava confortevole, ma un tantino ordinario. C'erano grandi poltrone di vimini ricoperte di cretonne, e alle pareti una gran quantità di fotografie incorniciate; i tavoli erano ricoperti di giornali, riviste, documenti ufficiali, pipe, portasigarette di latta gialli e scatole da tabacco rosa. Ammassati sugli scaffali c'erano parecchi libri, i dorsi macchiati dall'umido e dalle devastazioni delle formiche bianche. Featherstone mi mostrò la mia stanza e mi lasciò dicendo:

«Le andrebbe un gin pahit tra dieci minuti?».

«Ma certo» risposi.

Mi rinfrescai, mi cambiai d'abito e tornai di sotto. Featherstone, che mi aspettava, preparò i drink appena udì i miei passi sulle scale di legno. Cenammo. Conversammo. La festività a cui mi aveva invitato ad assistere ricorreva di lì a due giorni, ma Featherstone disse che prima mi aveva organizzato un incontro con il sultano.

«È un simpatico signore» disse. «E il palazzo è una gioia per gli occhi».

Dopo cena continuammo a parlare; Featherstone accese il grammofono e sfogliammo le riviste illustrate appena arrivate dall'Inghilterra. Poi ce ne andammo a dormire; Featherstone venne nella mia stanza per assicurarsi che non mi mancasse niente.

«Immagino che non abbia con sé dei libri» disse. «Non ho più niente da leggere».

«Libri?» esclamai.

Indicai la mia sacca. Era in piedi, stranamente rigonfia, tanto da sembrare uno gnomo gobbo e provato dal troppo bere.

«Ha dei libri lì dentro? Pensavo fosse la sua biancheria sporca, o un letto da campo o roba così. C'è qualcosa che mi può prestare?».

«Dia pure un'occhiata».

I boy di Featherstone avevano aperto la sacca ma, sgomenti, non avevano osato spingersi oltre. Io sapevo come disfarla grazie a una rodata esperienza: la coricai su un lato, afferrai il fondo di cuoio e, camminando a ritroso, la sfilai dal suo contenuto. Un fiume di libri si riversò sul pavimento. Sul viso di Featherstone si disegnò un'espressione sorpresa.

«Non vorrà mica dire che se ne va sempre in giro con questa quantità di libri? Santi numi, che colpo di fortuna!».

Si accovacciò e lesse i titoli facendoli passare rapidamente. Ce n'era per tutti i gusti. Volumi di versi, romanzi, opere filosofiche, storiche, studi critici (i libri sui libri saranno anche inutili, ma possono essere letture alquanto piacevoli), biografie; c'erano libri da leggere quando sei malato, e libri adatti quando il tuo cervello, sovraeccitato, cerca qualcosa con cui misurarsi; c'erano i libri che hai sempre voluto leggere, ma per i quali non hai mai trovato il tempo nella vita frenetica in patria; c'erano libri da leggere in mare, su un cargo che attraversa uno stretto, e libri per i giorni di maltempo quando la cabina scricchiola e ti devi aggrappare per non cadere dalla cuccetta; c'erano libri scelti esclusivamente per la loro lunghezza, che ti porti appresso quando parti per una spedizione e devi star leggero, e c'erano libri per quando non puoi leggere nient'altro. Alla fine Featherstone scelse una recente biografia di Byron.

«Ehi, cosa abbiamo qui!» disse. «Di questo ho letto una recensione non tanto tempo fa».

«Dovrebbe essere un bel libro» risposi. «Non l'ho ancora letto».

«Lo posso prendere? Per stasera mi basterà».

«Ma certo. Prenda tutto quello che vuole».

«No, no, va bene così. Allora buonanotte. La colazione è alle otto e mezza».

Quando scesi il mattino seguente, il boy mi disse che Featherstone era al lavoro dalle sei e che sarebbe rientrato presto. Mentre lo aspettavo diedi un'occhiata ai suoi scaffali.

«Ha una bella collezione di libri sul bridge» commentai quando ci sedemmo a colazione.

«Sì, mi procuro tutti quelli che escono. Sono un appassionato».

«Quel tale con cui abbiamo giocato ieri è un bravo giocatore» dissi.

«Chi, Hardy?».

«Non so. Non quello che andava a prendere la moglie, l'altro».

«Sì, Hardy. Per questo gli ho chiesto di giocare. Non viene spesso al club».

«Spero che verrà stasera».

«Non ci conterei troppo. La sua tenuta è a cinquanta chilometri da qui. Non è poco, per una partita a bridge».

«È sposato?».

«No. Cioè... sì. Ma la moglie è in Inghilterra».

«Devono essere tremendamente soli, gli uomini che vivono in quelle tenute senza nessuno accanto».

«Oh, non se la cava tanto male. Dubito che abbia voglia di veder gente. Posso immaginare che sarebbe altrettanto solo a Londra».

Qualcosa nel modo in cui Featherstone pronunciò queste parole mi parve un po' strano. La sua voce aveva preso un'inflessione che posso solo definire inaccessibile. All'improvviso mi sembrò distante. Fu come osservare di notte, dalla strada, una finestra illuminata e accogliente, e poi veder chiudere all'improvviso le persiane. I suoi occhi, che d'abitudine cercavano con franchezza quelli

161

altrui, ora mi evitavano e mi parve che il suo viso fosse attraversato da un'ombra di dolore; si tese per un attimo, come per una fitta di nevralgia. Non trovai niente da dire, e Featherstone rimase in silenzio. Ero consapevole che i suoi pensieri, lontanissimi da me e da dove ci trovavamo, erano rivolti a qualcosa che mi era precluso. Poi emise un fievole sospiro, quasi impercettibile, ma indubbio, e sembrò fare uno sforzo per riprendersi.

«Subito dopo colazione tornerò in ufficio» disse. «Lei come passerà la giornata?».

«Oh, non si preoccupi per me. Farò due passi e darò un'occhiata al paese».

«C'è ben poco da vedere».

«Tanto meglio. Le cose da vedere mi escono dagli occhi».

La veranda di Featherstone mi fornì lo svago sufficiente per trascorrere la mattinata. Da lì si ammirava uno dei più bei panorami di tutti gli Stati malesi federati. La residenza si trovava in cima a una collina e il giardino era vasto e ben tenuto; i grandi alberi facevano quasi pensare a un parco inglese. C'erano ampi prati dove i tamil, neri ed emaciati, falciavano l'erba con gesti precisi e armoniosi. Più sotto, la giungla scendeva fitta sino alla riva di un largo fiume rapido e sinuoso, mentre sull'altra sponda le colline boscose di Tenggarah si estendevano a perdita d'occhio. Il contrasto fra i prati curati, così stranamente inglesi, e la giungla che cresceva selvaggia tutt'attorno solleticava l'immaginazione. Rimasi lì seduto a leggere e a fumare. Essere incuriosito dalla gente è parte del mio lavoro, e mi chiesi quanto la pace di quella scena, carica peraltro di un significato tremulo e oscuro, influisse su Featherstone, che vi era immerso. La conosceva in tutti i suoi aspetti: all'alba quando le brume che si levano dal fiume la avviluppano sotto un manto funereo; nello splendore del mezzogiorno; e infine quando l'ombroso crepuscolo esce piano dalla giungla, come un esercito che si addentri cautamente in un paese sconosciuto, per avvolgere i prati verdi, i grandi alberi fioriti e le cassie ondeggianti nel silenzio della notte. Mi domandai se all'insaputa di Featherstone quella scena, soave eppure stranamente sinistra, non lavorasse sui suoi nervi e sulla sua solitudine ispirandogli un che di mistico; forse la vita che conduceva, la vita dell'amministratore capace, dello sportivo, del gradevole commensale gli risultava un po' irreale. Sorrisi delle mie fantasie, dato che la conversazione che avevamo avuto la sera prima non tradiva certo in lui alcun sommovimento dell'anima. Avevo trovato Featherstone abbastanza simpatico. Era stato a Oxford ed era membro di un buon club di Londra. Sembrava dare parecchia importanza alle occasioni sociali. Era un gentiluomo, sottilmente consapevole di appartenere a una classe superiore alla gran parte degli inglesi che gli capitava di frequentare in quelle regioni. Gli svariati trofei che decoravano il suo salotto mi fecero capire che eccelleva negli sport. Giocava a tennis e a biliardo. Quando era in congedo andava a caccia e, preoccupato di mantenere la linea, stava molto attento alla dieta. Parlava volentieri di cosa avrebbe fatto una volta in congedo; aspirava alla vita di campagna: una casa nel Leicestershire, un paio di cani da caccia, e dei vicini per giocare a bridge. Avrebbe ricevuto una pensione, e aveva da parte anche un po' di soldi suoi. Ma per il momento lavorava sodo e, se non in modo brillante, di certo con competenza; sono sicuro che i suoi superiori lo consideravano un ufficiale fidato. Era modellato su uno schema che conoscevo troppo bene per trovarlo realmente interessante. Era come un romanzo accurato, onesto, efficace, ma un po' qualsiasi: ti sembra di averlo già letto, e giri le pagine fiaccamente, sapendo che non ti riserverà nessuna sorpresa né emozione.

Ma gli esseri umani sono imprevedibili, e colui che crede di sapere di cosa sia capace un altro uomo è uno stolto.

Quel pomeriggio Featherstone mi portò dal sultano. Fummo ricevuti da uno dei suoi figli, un ragazzo timido e sorridente che gli faceva da aiutante di campo. Indossava un completo blu semplice ed elegante, ma attorno alla vita portava un *sarong* a fiori bianchi su sfondo giallo, in testa un fez rosso e ai piedi delle scarpe americane sformate. Il palazzo, di stile moresco e tutto dipinto di un giallo vivace, il colore regale, era come un'enorme casa di bambole. Ci fecero entrare in un'ampia stanza arredata con il tipo di mobilio che troveresti in una pensione inglese della costa, ma con le sedie foderate di seta gialla. Per terra c'era un tappeto floreale e alle pareti, in esuberanti cornici dorate, delle fotografie del sultano durante varie cerimonie ufficiali. In una credenza c'era una grande collezione di frutti di ogni tipo, fatti interamente all'uncinetto. Il sultano entrò accompagnato da diversi attendenti. Sulla cinquantina, basso e tarchiato, portava dei pantaloni e una tunica a losanghe bianche e gialle; attorno ai fianchi aveva un bellissimo *sarong* giallo, e sul capo un fez bianco. Aveva occhi grandi, belli e amichevoli. Ci offrì del caffè, dei dolci, e *cheroot* da fumare. La conversazione era scorrevole, poiché il sultano era molto affabile; mi disse che non era mai andato a teatro e non aveva mai giocato a carte, essendo profondamente religioso. Aveva quattro mogli e ventiquattro figli. L'unico ostacolo alla felicità totale sembrava essere quell'usanza che lo obbligava a suddividere il suo tempo in parti uguali fra le quattro mogli: disse che con l'una un'ora era lunga un mese, e con l'altra cinque minuti. Commentai che Einstein – o era Bergson? – si era espresso in modo simile sul tempo, e che di fatto la questione aveva dato al mondo non poco su cui riflettere. Infine ci congedammo, e il sultano mi omaggiò con delle belle aste di malacca bianca.

La sera andammo al club. Uno degli uomini con cui avevamo giocato il giorno prima si alzò e ci venne incontro.

«Pronti per una partitina?».

«Dov'è il quarto?» chiesi.

«Oh, ce ne sono tanti che saranno felici di giocare».

«E quello con cui abbiamo giocato ieri?». Mi ero scordato il suo nome.

«Hardy? Oggi non si è visto».

«Non vale la pena di aspettarlo» aggiunse Featherstone.

Non sapevo dire perché, ma avevo la netta impressione che dietro quelle parole così banali si celasse uno strano imbarazzo. Hardy non mi aveva fatto un'impressione particolare, nemmeno mi ricordavo che aspetto avesse; era soltanto il quarto a bridge. Però ebbi la sensazione che ce l'avessero con lui. Non erano fatti miei e mi andò benissimo di giocare con un tale che si aggiunse in quel momento. L'atmosfera era sicuramente più allegra. Il livello del gioco era più basso, ma scambiammo battute e ridemmo parecchio. Mi domandai se fosse solo perché gli altri si sentivano meno intimiditi dall'estraneo capitato fra loro, o se fosse stata piuttosto la presenza di Hardy a creare una certa tensione. Terminammo alle otto e mezza, e rientrammo a casa per cena.

Dopo mangiato ci accomodammo in poltrona a fumare *cheroot*. Per qualche motivo la conversazione languiva. Tentai con un argomento dopo l'altro, ma non riuscivo a coinvolgere Featherstone. Iniziai a pensare che nelle ultime ventiquattr'ore doveva aver detto tutto quel che aveva da dire, e mi ritirai gradualmente in un silenzio scoraggiato. Il silenzio si protrasse e di nuovo, senza sapere il perché, ebbi il vago sospetto che fosse pregno di un significato che mi sfuggiva. Mi sentii un po' a disagio. Ebbi la curiosa sensazione che si prova talvolta quando si è in una stanza vuota ma non ci si sente soli. A un certo punto mi resi conto che Featherstone mi stava guardando fisso. Io ero seduto vicino a una lampada, ma lui era in ombra, così che non riuscivo a vedere la sua espressione. Però aveva grandi occhi luminosi, e nella penombra sembravano brillare cupamente. Erano come bottoni da stivale nuovi e lustri che riflettano la luce. Mi chiesi cosa avesse da guardarmi in quel modo. Gli lanciai un'occhiata e, incrociando quel suo sguardo fisso, abbozzai un sorrisino.

«Un libro interessante, quello che mi ha prestato ieri sera» disse all'improvviso, e non potei evitare di pensare che la sua voce suonava innaturale. Le parole gli uscivano dalle labbra come a forza.

«Ah, la *Vita di Byron*? » risposi gioviale. «L'ha già finito? ».

«Quasi. Ho letto fino alle tre ».

«Ho sentito dire che è molto ben scritto. Ma non sono sicuro che Byron mi interessi davvero. Per tanti aspetti è così terribilmente mediocre che mi mette a disagio ».

«Quale ritiene che sia la verità a proposito di quella storia tra lui e la sorella? ».

«Augusta Leigh? Non ne so molto. Non ho mai letto *Astarte* ».

«Crede che fossero davvero innamorati? ».

«Suppongo di sì. Non è opinione comune che sia l'unica donna che lui abbia veramente amato? ».

«È una cosa che riesce a capire? ».

«Non proprio. Non che mi scandalizzi, mi sembra solo molto innaturale. Forse "innaturale" non è la parola giusta. Mi risulta inconcepibile. Non riesco a immedesimarmi nella condizione emotiva in cui qualcosa del genere risulti possibile. Sa, è questo il modo in cui uno scrittore arriva a conoscere le persone di cui scrive, mettendosi nei loro panni e sentendo coi loro cuori ».

Sapevo che non mi stavo spiegando bene; cercavo di descrivere una sensazione, un atto dell'inconscio che mi è perfettamente familiare nella pratica, ma che nessuna delle parole in mio possesso sa esprimere. Proseguii:

«Era solo una sorellastra, naturalmente,» proseguii «ma come l'abitudine uccide l'amore, così mi aspetterei che gli impedisca di nascere. Se due persone si conoscono da tutta la vita e hanno vissuto sempre insieme, non riesco a immaginare come o perché possa scattare quella scintilla che diventa amore. Probabilmente saranno legate da affetto reciproco, e non conosco nulla che sia più nocivo per l'amore dell'affetto ».

L'ombra di un sorriso gli attraversò il viso cupo e, così mi parve nell'oscurità, malinconico.

«Crede solo all'amore a prima vista? ».

«Mah, direi di sì, ammettendo però che due persone possano incontrarsi anche venti volte prima di vedersi davvero. "Vedere" ha una valenza sia attiva sia passiva. Gran parte della gente che incontriamo ci dice così poco che nemmeno ci scomodiamo a guardarla. Ci limitiamo a subire l'effetto che ci fanno».

«Sì, ma quante volte si viene a sapere di persone che si conoscevano da anni, senza mai dare l'impressione che gli importasse una cicca l'una dell'altra, e di colpo ecco che si sposano. Come se lo spiega questo?».

«Be', se mi vuole costringere a essere logico e coerente, direi che il loro è un amore d'altro tipo. Dopotutto, la passione non è l'unico motivo per unirsi in matrimonio. Due persone si possono sposare perché sono sole, perché sono buone amiche, per convenienza. Sebbene abbia appena detto che l'affetto è il peggior nemico dell'amore, non nego che possa essere un ottimo sostituto. Potrebbe anche darsi che un matrimonio basato sull'affetto sia il più felice di tutti».

«Cosa pensa di Tim Hardy?».

Fui abbastanza sorpreso da questa domanda improvvisa, che sembrava esulare dall'argomento della nostra conversazione.

«Non ci ho mica pensato tanto. Sembrava un tipo a posto. Perché?».

«Le è sembrato una persona come tutte le altre?».

«Sì. C'è qualcosa di inusuale in lui? Se me l'avesse detto, ci avrei fatto più caso».

Cercai di ricordarmi che aspetto avesse. L'unica cosa che mi aveva colpito mentre giocavamo a carte erano le sue mani delicate. Avevo solo pensato che non erano mani da piantatore, ma non mi ero dato la pena di domandarmi per che ragione un piantatore dovrebbe avere mani diverse da quelle di tutti gli altri. Le sue erano piuttosto grandi ma molto ben fatte, con dita particolarmente affusolate e le unghie di forma mirabile. Erano mani virili e al contempo stranamente sensibili. L'avevo notato e non ci avevo pensato più. Ma se sei uno scrittore, l'istinto e anni di abitudine ti permettono di incamerare impressioni di cui non sei consapevole. Certo, talvolta non cor-

167

rispondono ai fatti e una donna, per esempio, può imprimersi nel tuo subconscio come una grossa creatura scura dallo sguardo bovino, mentre in realtà è scialba e minuta. Ma questo non ha importanza. La tua impressione potrebbe benissimo essere più precisa della nuda verità. E ora, cercando di ripescare un'immagine di quell'uomo dal profondo di me stesso, ebbi una sensazione di ambiguità. Era ben rasato e il suo viso, ovale ma non magro, sembrava stranamente pallido sotto l'abbronzatura della prolungata esposizione al sole tropicale. I suoi tratti sembravano indistinti. Non sapevo se fosse un ricordo effettivo o solo il frutto della mia fantasia, ma il mento arrotondato dava l'impressione di una certa debolezza. Aveva folti capelli castani che iniziavano appena ad ingrigire, e un lungo ciuffo gli cascava di continuo sulla fronte. Lo ricacciava indietro con un gesto diventato abituale. Gli occhi marroni erano piuttosto grandi, gentili, ma forse un po' tristi; avevano una dolcezza struggente che potevo ben immaginare fosse alquanto affascinante.

Dopo una breve pausa, Featherstone proseguì.

«È piuttosto strano che dopo tutti questi anni mi sia ritrovato accanto Tim Hardy. Del resto, è così che vanno le cose negli Stati malesi federati. La gente si sposta di continuo, e ti ritrovi vicino qualcuno che avevi conosciuto anni prima da tutt'altra parte. Quando l'ho conosciuto, Tim aveva una tenuta nei pressi di Sibuku. È mai stato in quella zona?».

«No. Dove si trova?».

«Su al Nord, verso il Siam. Non vale la pena di andarci, è come qualsiasi altro posto negli Stati malesi federati. Ma un tempo si stava bene. C'era un piccolo club davvero simpatico e un po' di persone gradevoli. Il direttore della scuola e il capo della polizia, il dottore, il cappellano militare, l'ingegnere governativo. Be', i soliti. Qualche piantatore. Tre o quattro signore. Io ero l'ufficiale distrettuale. Era uno dei miei primi incarichi. Tim Hardy aveva una tenuta a circa cinquanta chilometri da lì. Viveva con sua sorella. Avevano un po' di soldi loro, e si erano comprati la proprietà. Il caucciù andava a gonfie vele. Eravamo in buoni rapporti. Certo, coi piantatori è una lotteria. Alcuni sono anche molto in gamba, ma non sono proprio...» cercò una parola o una frase che non suonasse troppo snob. «Be', non è il tipo di gente che uno frequenterebbe in Inghilterra. Mentre Tim e Olive appartenevano al mio mondo, mi spiego?».

«Olive era la sorella?».

«Sì. Hanno avuto un'infanzia piuttosto sfortunata. I genitori si separarono quando loro erano ancora piccoli, sei o sette anni, la madre aveva tenuto Olive e il padre Tim. Tim andò al Clifton College – loro erano del Sudovest dell'Inghilterra – e tornava a casa solo per le vacanze. Il padre era un ufficiale di marina in pensione e viveva a Fowley, ma Olive andò con la madre in Italia. Frequentò le scuole a Firenze; parlava italiano perfettamente, e anche francese. In tutti quegli anni Tim e Olive non si videro mai, però si scrissero regolarmente. Erano molto uniti, da piccoli. Finché i genitori erano rimasti insieme la vita era stata abbastanza turbolenta: un sacco di scenate e di liti, be', quelle cose che accadono tra coniugi che non vanno d'accordo. Loro avevano dovuto cavarsela con le proprie risorse; erano lasciati a se stessi gran parte del tempo. Poi Mrs Hardy morì e Olive ritornò in Inghilterra dal padre: aveva diciott'anni, e Tim diciassette. L'anno successivo scoppiò la guerra, Tim si arruolò e il padre, che aveva passato i cinquanta, trovò un lavoro a Portsmouth. Dev'essere stato uno scavezzacollo e un gran bevitore. Prima della fine della guerra ebbe un tracollo e si spense dopo una lunga malattia. Pare non avessero altri parenti. Erano gli ultimi di un'antica casata; possedevano da generazioni una bella, vecchia dimora nel Dorsetshire, ma non si erano mai potuti permettere di viverci e l'avevano sempre affittata. Ricordo di averla vista in fotografia. Una casa nobiliare, imponente, di pietra grigia, lo stemma araldico scolpito sull'entrata e le finestre gotiche. La loro grande aspirazione era di guadagnare abbastanza per poterci vivere. Ne parlavano spesso, e mai come se uno di loro avesse potuto sposarsi, ma come se fosse scontato che sarebbero vissuti insieme per sempre. Era piuttosto strano, considerando la loro giovane età».

«Quanti anni avevano allora?».

«Mah, credo che lui ne avesse venticinque o ventisei, e lei uno in più. Furono estremamente gentili con me quando arrivai a Sibuku. Mi presero subito in simpatia. Vede, avevamo molte cose in comune, a differenza di altre persone che stavano lì. Credo che gradissero molto la mia compagnia. Non erano così benvoluti da quelle parti».

«Come mai?» chiesi.

«Erano piuttosto riservati, e si vedeva fin troppo bene che stavano meglio tra di loro che con gli altri. Non so se ha già avuto occasione di notarlo, ma è una cosa che non manca mai di infastidire. È come se le persone si risentissero se gli dài l'impressione che te la passi bene anche senza di loro».

«Non me ne parli» dissi.

«Agli altri piantatori non andava giù che Tim fosse indipendente e disponesse di soldi suoi. Loro dovevano accontentarsi di un vecchio furgone, mentre lui aveva una vera automobile. Tim e Olive erano molto cordiali quando venivano al club, partecipavano ai tornei di tennis e tutto il resto, però avevi l'impressione che fossero sempre felici di tornarsene alla tenuta. Accettavano gli inviti a cena, ed erano sempre molto amabili, ma era palese che avrebbero preferito stare a casa loro. E chi li poteva biasimare? Non so se ha avuto modo di frequentare le case dei piantatori: mancano d'anima. Un'accozzaglia di mobilacci dozzinali, ninnoli d'argento e pelli di tigre. Cibo immangiabile. Il bungalow degli Hardy invece non era affatto male. Niente di straordinario, ma era semplice, accogliente, confortevole. Il salotto ricordava il soggiorno di una residenza di campagna inglese. Lo sentivi che ci tenevano ai loro oggetti, e che li possedevano da tempo. Era davvero un piacere stare lì. Il bungalow era nel mezzo della tenuta, ma in cima a una collinetta, così lo sguardo spaziava sopra gli alberi della gomma e in lontananza si vedeva il mare. Olive si prendeva cura del giardino, che era incantevole. Mai vista una simile varietà di fiori tropicali. Avevo l'abitudine di trascorrervi il fine settimana. In mezz'ora di macchina si arrivava alla spiaggia; ci portavamo il pranzo, facevamo il bagno e uscivamo con la barchetta che Tim teneva lì. Dio, che bei tempi. Non sapevo che la vita potesse essere così divertente. Quel tratto di costa è molto bello, e straordinariamente romantico. La sera giocavamo a solitario e a scacchi o ascoltavamo il grammofono. E si mangiava da Dio, altro che quello che ci tocca di solito. Olive aveva insegnato al cuoco una quantità di ricette italiane, e mangiavamo pentolate di pasta e risotto e gnocchi e roba così. Non potevo non invidiare quella loro vita tanto gioiosa e tranquilla, e quando parlavano di cosa avrebbero fatto una volta tornati in Inghilterra gli dicevo che avrebbero sempre rimpianto quel che avevano lasciato.

«"Siamo stati molto felici, qui" diceva Olive.

«Aveva un modo accattivante di guardare Tim con la coda dell'occhio, uno sguardo obliquo da sotto le sue lunghe sopracciglia.

«In casa erano molto diversi, rilassati e cordiali. Questo lo ammettevano tutti, e devo dire che a tutti piaceva andarli a trovare. Loro invitavano spesso. Avevano il dono di farti sentire a casa tua. È che era una casa felice, mi spiego? Ovviamente, a nessuno sfuggiva il forte legame che li univa. E per quanto li giudicassero alteri e chiusi, trovavano commovente l'affetto che nutrivano l'uno per l'altra. La gente commentava che nemmeno se fossero stati sposati avrebbero potuto essere più uniti, e se vedevi com'erano messe certe coppie ti veniva da dire che facevano impallidire buona parte dei matrimoni. Sembravano pensare la stessa cosa nello stesso istante. Ridevano come bambini di cose che capivano solo loro. Erano così teneri l'uno con l'altra, così allegri, così felici, che, giuro, starci insieme era un balsamo per lo spirito. Non so come definirlo altrimenti. Andando via dopo un paio di giorni al bungalow sembrava di aver assorbito un po' della loro pace e della loro sobria allegria. Era come se la tua anima fosse stata risciacquata con acqua di sorgente. Ti sentivi stranamente purificato».

Era alquanto singolare ascoltare Featherstone esprimersi con quei toni accesi. Aveva un'aria così impettita nella sua elegante giacchetta bianca, un *bumfreezer* per essere precisi, i suoi baffi erano così perfetti e i folti capelli ricci così ben spazzolati che quel linguaggio esaltato mi mise un pizzico a disagio. Ma compresi che nel suo modo goffo stava cercando di esprimere un'emozione profonda e sincera.

«Com'era Olive Hardy?» domandai.

«Gliela mostro. Ho parecchie istantanee».

Andò a prendere un grosso album da uno scaffale e me lo porse. Le solite cose, banali foto di gruppo e ritratti di singoli poco lusinghieri. In costume da bagno, in calzoncini, vestiti da tennis, con facce aggrottate perché accecate dal sole o deformate dal riso. Riconobbi Hardy, che in dieci anni era cambiato poco; aveva sempre lo stesso ciuffo sulla fronte. Guardando le foto me lo ricordai meglio. In quei ritratti era bello, fresco e giovane. Aveva un'espressione vigile che lo rendeva attraente, e che di certo non avevo notato incontrandolo di persona. Negli occhi gli brillava una voglia di vivere che scintillava sulle stampe scolorite. Diedi un'occhiata alle foto della sorella. Il costume da bagno rivelava un bel corpo, florido ma slanciato; le gambe erano lunghe e sottili.

«Si assomigliano» dissi.

«Sì, lei aveva un anno di più ma sembravano gemelli. Avevano lo stesso viso ovale e la pelle pallida, le guance incolori, e gli stessi dolci occhi bruni, liquidi e accattivanti, che ti facevano sentire che non ti saresti mai potuto arrabbiare con loro, qualunque cosa facessero. E avevano un'eleganza naturale, anche quando si vestivano in modo trascurato. Lui non è più così, almeno a mio parere, ma lo era di certo quando l'ho conosciuto. Mi hanno sempre fatto pensare ai fratelli della *Dodicesima notte*. Sa chi intendo».

«Viola e Sebastian».

«Non sembravano appartenere al presente. Avevano qualcosa di elisabettiano. Li trovavo, e non credo che fosse solo perché allora ero molto giovane, stranamente romantici. Me li potevo immaginare in Illiria».

Diedi un'altra occhiata a una fotografia.

«La ragazza ha tutta l'aria di avere più carattere del fratello» commentai.

«Eccome. Non so se Olive si potesse definire bella, ma aveva un grandissimo fascino, un che di poetico, una qualità lirica, diciamo, che dava colore ai suoi movimenti, a quel che faceva, a tutto quanto in lei. Sembrava elevarla al di sopra delle comuni faccende umane. Aveva un'espressione così schietta, e un comportamento così coraggioso e indipendente, che... io non lo so, la semplice bellezza in confronto sembrava piatta e noiosa».

«Dal modo in cui ne parla, direi che ne fosse innamorato» lo interruppi.

«Certo che lo ero. Pensavo lo avesse capito subito. Ero pazzo di lei».

«Amore a prima vista?» dissi con un sorriso.

«Sì, credo di sì, ma non me ne resi conto per un mese o due. Quando di colpo compresi che quello che sentivo per Olive – non lo so spiegare, era una specie di tumulto che scuoteva tutto il mio essere –, che quello era amore, seppi che l'avevo provato dal primo momento. Non era solo il suo aspetto, per quanto seducente, la sua pallida pelle vellutata e il modo in cui i capelli le ricadevano sul viso e la solenne dolcezza dei suoi occhi bruni, no, era qualcosa di più; con lei stavo bene, sentivo che mi potevo rilassare, essere naturale, senza fingere di essere quello che non ero. Sentivo che era incapace di cattiveria. Era impossibile immaginarla invidiosa o malevola. Sembrava avere un'innata generosità d'animo. Si poteva stare in silenzio per un'ora con lei, e sentirsi a proprio agio».

«Una dote rara» dissi.

«Era una compagna meravigliosa. Qualsiasi cosa tu le proponessi di fare, era sempre entusiasta. Era la ragazza meno esigente che abbia mai conosciuto. Potevi piantarla in asso all'ultimo minuto e, per quanto delusa potesse essere, non cambiava niente. Quando la rivedevi era serena e gentile come sempre».

«Perché non l'ha sposata?».

Featherstone aveva finito il *cheroot*; gettò via il mozzicone e ne accese subito un altro. Per un po' non rispose. A chi vive in un contesto altamente civilizzato può sembrare strano che egli confidasse cose così intime a un estraneo; a me non lo sembrò affatto. C'ero abituato. Chi si trova disperatamente solo in un remoto angolo del globo prova sollievo nel raccontare a qualcuno che probabilmente non rivedrà mai più tutto quello che, magari da anni, lo tormenta notte e giorno. E ho il sospetto che essere uno scrittore attiri le confidenze: le persone sentono di accendere il tuo interesse in un modo impersonale che rende loro più facile sfogarsi. Inoltre, come tutti sappiamo per esperienza personale, parlare di sé non dispiace mai.

«Perché non l'ha sposata?» gli avevo domandato.

«Mi creda, lo desideravo moltissimo» rispose Featherstone dopo un bel po'. «Ma non mi decidevo a chiederglielo. Era sempre così cara con me, e andavamo d'accordo, eravamo buoni amici, ma sentivo che in lei c'era qualcosa di misterioso. Nella sua semplicità e naturalezza era impossibile non percepire un nocciolo di ritrosia, come se in fondo al cuore custodisse non un segreto, ma una specie di ritegno dell'anima che a nessun umano sarebbe mai stato permesso conoscere. Non so se riesco a spiegarmi».

«Credo di sì».

«Lo imputai alla sua infanzia. Non parlavano mai della madre, ma mi ero fatto l'idea che fosse una di quelle donne emotive e nevrotiche che distruggono la propria felicità e tormentano tutti coloro che stanno loro intorno. Avevo il sospetto che la sua vita a Firenze fosse stata piuttosto scatenata, e immaginai che Olive avesse raggiunto la sua meravigliosa serenità grazie a uno sforzo di-

174

sciplinato della volontà, che il suo riserbo fosse una sorta di cittadella eretta per proteggersi dalla consuetudine con ogni sorta di cose vergognose. Ma poi, chiaramente, quel riserbo era terribilmente attraente. Provavo un'eccitazione bizzarra al pensiero che, se mi avesse amato, se ci fossimo sposati, avrei finalmente trafitto il cuore nascosto di quel mistero; e sentivo che condividere quel mistero con lei sarebbe stato il coronamento di tutto ciò che potevo desiderare nella vita. Niente a che fare col paradiso: diciamo che capivo quello che doveva provare la moglie di Barbablù per la stanza proibita. Io avevo accesso a ogni stanza, ma non avrei avuto pace finché non fossi entrato nell'unica che mi era preclusa».

Mi cadde l'occhio su un *chik-chak*, una lucertolina del posto, bruna e con la testa grossa, in alto sulla parete. È una bestiolina simpatica e fa piacere vederla in casa. Fissava una mosca, immobile. Scattò di colpo e mentre la mosca volava via, con uno spasmo tornò in una strana stasi.

«E non mi decidevo anche per un altro motivo. Non sopportavo il pensiero che, se l'avessi chiesta in sposa e lei avesse rifiutato, non sarei più potuto tornare al bungalow come prima. Ne avrei sofferto troppo, adoravo andare lì. Stare con lei mi rendeva felice. Ma sa, a volte uno non si sa trattenere. Alla fine glielo chiesi, ma fu quasi per caso. Una sera, dopo cena, seduti sulla veranda, le presi la mano. Ella la ritrasse di scatto.

«"Cosa c'è?" le chiesi.

«"Non mi piace che mi si tocchi" disse. Si voltò appena verso di me e sorrise. "Ti ho offeso? Non devi badarci, mi fa un effetto strano. Non posso farci niente".

«"A volte mi chiedo se ti sei mai accorta dell'affetto che nutro per te" dissi.

«Immagino di essere stato terribilmente goffo, ma non mi ero mai dichiarato a nessuna donna prima di allora». Featherstone emise un suono sommesso che non era una risatina e non era un gemito. «Se è per questo, neanche dopo. Olive rimase in silenzio per un minuto. Poi disse:

«"Mi fa molto piacere, ma non vorrei da te niente di più".

«"Ma perché?".

«"Non potrei mai lasciare Tim".

«"E mettiamo che lui si sposi?".

«"Non lo farà mai".

«A quel punto mi ero spinto così lontano che pensai bene di continuare. Ma avevo la gola secchissima e riuscivo a malapena a parlare. Tremavo dal nervosismo.

«"Sono terribilmente innamorato di te, Olive. Voglio sposarti, è la cosa a cui tengo di più al mondo".

«Mi toccò il braccio con una mano leggerissima. Era come un fiore che cade al suolo.

«"No, mio caro, non posso" disse.

«Io ammutolii. Era molto difficile riuscire a dirle quel che avrei voluto. Sono già timido di natura, e mi trovavo di fronte a una ragazza. Non potevo spiegarle che vivere con un marito è un po' diverso che vivere con un fratello. Era sana e normale; doveva volere dei bambini; era irragionevole soffocare quegli istinti naturali. Voleva dire sprecare la sua gioventù. Ma fu lei a rompere il silenzio.

«"Non parliamone più" disse. "Ti fa niente? Una o due volte ho avuto l'impressione che tu avessi dei sentimenti per me. Anche Tim l'ha avuta. E mi è dispiaciuto, perché temevo che questo avrebbe finito per rovinare la nostra amicizia. Non voglio che accada, Mark. Stiamo così bene insieme, noi tre, e ci divertiamo tanto. Non so cosa faremmo senza di te, ormai".

«"Ci ho pensato anch'io" dissi.

«"Credi che sia proprio necessario?" mi chiese.

«"Mia cara, no, non voglio che accada" dissi. "Sai quanto amo venire qui. Mai in vita mia sono stato così felice!".

«"Non sei arrabbiato con me?".

«"Perché dovrei? Non è certo una colpa. Vuol solo dire che non sei innamorata di me. Se lo fossi, non penseresti un secondo a Tim".

«"Sei un tesoro" disse.

«Mi gettò le braccia al collo e mi diede un bacino sulla guancia. Ebbi l'impressione che questo per lei sistemasse il nostro rapporto. Mi adottava come un secondo fratello.

«Qualche settimana più tardi Tim partì per l'Inghilterra. L'inquilino della loro casa nel Dorset se ne andava, e per quanto ne avessero già trovato un altro lui ci teneva a essere presente per occuparsi delle trattative. E voleva acquistare delle macchine agricole per la tenuta. Contava di sbrigare entrambe le faccende senza star via più di tre mesi, e Olive decise di rimanere. Non conosceva quasi nessuno in Inghilterra, per lei era praticamente un paese straniero; inoltre, stare da sola non le dispiaceva e voleva badare alla tenuta. Avrebbero potuto prendere un amministratore, ma non sarebbe stato lo stesso. Il prezzo del caucciù stava crollando e nel caso di un rovescio sarebbe stato utile che uno di loro fosse sul posto. Promisi a Tim che mi sarei preso cura di lei; avrebbe potuto chiamare per qualsiasi cosa. La mia dichiarazione non aveva incrinato i nostri rapporti. Tutto proseguì come se niente fosse. Non sapevo se Olive ne avesse fatto parola col fratello; lui non diede mai segno di saperlo. Ovviamente ero innamorato come prima, ma lo tenevo per me; mi so controllare abbastanza bene. E avevo il sentore di non avere nessuna possibilità. Speravo solo che il mio amore finisse per mutarsi in qualcos'altro, e che saremmo rimasti amici strettissimi. È curioso, non è mai mutato. Credo che fossi troppo innamorato perché potesse accadere.

«Olive accompagnò Tim a Penang per salutarlo; quando ritornò andai a prenderla alla stazione e l'accompagnai a casa in macchina. Non era il caso che rimanessi al bungalow a dormire mentre Tim era via, ma andavo a trovarla ogni domenica e mangiavamo qualcosa e scendevamo al mare per fare un tuffo. Gli altri la invitavano a stare da loro, ma lei rifiutava. Lasciava di rado la tenuta. Aveva molto da fare. Leggeva parecchio. Non si annoiava mai. Stava bene da sola, e se riceveva degli ospiti era in parte per senso del dovere, per non sembrare sgarbata.

Ma le costava fatica: mi diceva che tirava un sospiro di sollievo quando vedeva l'ultimo invitato uscire e poteva tornare a godersi la solitudine del bungalow in santa pace. Era una ragazza estremamente curiosa, ed era strano che alla sua età le feste e gli altri piccoli svaghi che il luogo offriva le fossero a tal punto indifferenti. Spiritualmente, se mi capisce, sapeva badare a se stessa. Non so come fece la gente a scoprire che ero innamorato di lei; ero convinto di non aver mai lasciato trapelare nulla, ma a poco a poco mi resi conto che lo sapevano tutti. Dovevano aver pensato che non aveva seguito il fratello per stare con me. Addirittura, una certa Mrs Sergison, la moglie del poliziotto, mi chiese quando avrebbero potuto felicitarsi con noi. Ovviamente io feci finta di cadere dalle nuvole, ma non ci riuscii molto bene. Ero quasi divertito. Da quel punto di vista, per Olive contavo meno di zero; credo che si fosse perfino dimenticata della mia dichiarazione. Non voglio dire che mi trattasse in modo scortese, era incapace di farlo con chicchessia; ma era noncurante, come una sorella col fratello minore. Aveva due o tre anni più di me. Era sempre contenta di vedermi, ma niente di più; mi trattava con intimità però in modo distratto, non so se mi spiego, come ci si comporta con una persona che si conosce bene da una vita e alla quale non viene di fare una festa speciale. Era come se non fossi un uomo ma una vecchia giacca che indossava sempre perché era semplice e comoda e non doveva starci attenta. Avrei dovuto essere un pazzo per non accorgermi che per me provava tutto fuorché amore.

«Poi un giorno, tre o quattro settimane prima del ritorno di Tim, entrai nel bungalow e vidi che aveva pianto. Mi sorprese parecchio. Era sempre così posata. Non l'avevo mai vista alterata o scossa.

«"Ehi, cosa succede?" dissi.

«"Niente".

«"Ma ti prego, mia cara" dissi. "Perché piangevi?".

«Cercò di sorridere.

«"Come vorrei che tu non fossi così acuto" disse. "Non

è successo niente, sono io che sono sciocca. Ho appena ricevuto un telegramma da Tim che dice che ha posticipato il suo ritorno".

«"Oh, cara, mi dispiace" dissi. "Deve essere un gran dispiacere".

«"Contavo i giorni. Tim mi manca così tanto".

«"Spiega perché deve ritardare?".

«"No, dice che mi ha scritto una lettera. Ti mostro il telegramma".

«Era molto nervosa. I suoi occhi pacati e calmi erano colmi d'ansia, e la fronte era attraversata da una piccola ruga di preoccupazione. Andò in camera e ritornò con il telegramma. Leggendo sentivo il suo sguardo inquieto su di me. Da quel che ricordo diceva così: *Mia cara, alla fine non riesco a imbarcarmi il sette. Ti prego di perdonarmi. Ti spiegherò per lettera. Con amore. Tim.*

«"Mah, può darsi che le macchine che voleva non siano pronte e non intenda tornare indietro a mani vuote" dissi.

«"Cosa cambia se le imbarcano su una nave successiva? Tanto restano bloccate a Penang per un po'".

«"Forse c'è qualche problema con la casa".

«"Se così fosse, perché non lo dice? Sa bene quanto io sia in ansia".

«"Non ci avrà pensato" dissi. "Lo sai, quando uno è in viaggio non si rende conto che chi è rimasto a casa è all'oscuro di questioni che sembrano scontate".

«Sorrise di nuovo, ma era più sollevata.

«"Mi sa che hai ragione. Anzi, Tim è proprio fatto un po' così. Sempre sovrappensiero, disinvolto, lui. Ho esagerato. Devo portare pazienza e aspettare la sua lettera".

«Era una ragazza che si sapeva controllare, e vidi che ci riuscì grazie a un sommo sforzo della volontà. La piccola ruga scomparve e lei tornò a essere l'Olive serena, sorridente e garbata. Gentile lo era sempre, ma quel giorno aveva una dolcezza celestiale addirittura sconvolgente. Ma mi accorsi anche che a partire da quel momento tenne l'inquietudine sotto controllo solo grazie al costante esercizio del buon senso. Era come se avesse un cattivo presentimento. Mi trovavo con lei il giorno prima dell'arrivo della posta. La sua angoscia era ancora più penosa da vedere per via degli sforzi che faceva per nasconderla. Il giorno della consegna avevo sempre molto da fare, ma le avevo promesso che sul tardi sarei passato dalla tenuta per sentire le novità. Stavo proprio per incamminarmi quando il *seis* degli Hardy mi raggiunse in macchina per riferirmi che l'*amah* mi chiedeva di recarmi subito dalla sua padrona. L'*amah* era una vecchietta affidabile, a cui avevo dato un paio di dollari raccomandandole di informarmi immediatamente se ci fosse stato un qualsiasi problema. Saltai in macchina. Quando arrivai trovai l'*amah* che mi aspettava sulle scale.

«"Stamattina è arrivata una lettera" disse.

«Non la lasciai finire e mi precipitai su per le scale. Il salotto era vuoto.

«"Olive" chiamai.

«Dal corridoio udii un suono che mi fece gelare il sangue. L'*amah* mi aveva seguito e ora aprì la porta della stanza di Olive. Il suono che avevo sentito era il pianto di Olive. Entrai. Era stesa sul letto a faccia in giù; i singhiozzi la scuotevano da capo a piedi. Le misi una mano sulla spalla.

«"Olive, cos'è accaduto?" chiesi.

«"Chi è?" urlò, balzando in piedi, come impazzita dalla paura. E poi:

«"Ah, sei tu" disse. Mi stava di fronte con la testa riversa all'indietro e gli occhi chiusi; grosse lacrime le rigavano le guance. Era atroce. "Tim si è sposato" singhiozzò, e il viso le si contrasse in una smorfia di dolore.

«Devo ammettere che sull'istante ebbi un brivido di gioia, come se una scossa elettrica mi avesse attraversato il cuore; fui folgorato dal pensiero che forse ora avrebbe acconsentito a sposarmi. So bene che era terribilmente egoista da parte mia, ma vede, quella notizia mi aveva colto di sorpresa. Durò solo un attimo, poi fui stravolto dalla sua terribile pena e non sentii che dolore per la sua infelicità. Le misi un braccio attorno alla vita.

«"Oh, amica mia, mi dispiace tanto" dissi. "Non startene qui, vieni a sederti in salotto che ne parliamo. Ti preparo un drink".

«Si lasciò condurre nell'altra stanza e ci sedemmo sul divano. Dissi all'*amah* di portarmi il whisky e il selz, preparai uno *stengah* bello forte e gliene feci bere un goccio. La presi tra le braccia, e lei abbandonò il capo sulla mia spalla. Mi lasciava fare quel che volevo. Le grosse lacrime rigavano quel povero visino.

«"Come ha potuto?" gemeva. "Come ha potuto?".

«"Mia cara," dissi "un giorno o l'altro doveva accadere. Tim è un giovanotto. Come potevi pensare che non si sarebbe mai sposato? È così naturale".

«"No, no, no" boccheggiò.

«Vidi che stretta nel pugno teneva una lettera e immaginai fosse quella di Tim.

«"Cosa dice?" domandai.

«Sussultò dallo spavento e si strinse la lettera al petto, come per paura che gliela volessi sottrarre.

«"Dice che ha dovuto farlo. Dice che non aveva scelta. Che cosa significa?".

«"Be', sai, a modo suo, Tim è attraente come lo sei tu. Ha molto fascino. Si sarà innamorato follemente di una qualche ragazza, e lei di lui".

«"È così debole" gemette.

«"Verranno qui?" chiesi.

«"Si sono imbarcati ieri. Dice che non cambierà niente. È pazzo. Come *posso* rimanere qui?".

«Scoppiò in un pianto isterico. Era una tortura vedere quella ragazza, di solito così serena, devastata dall'emozione. Avevo sempre immaginato che quella sua amabile tranquillità nascondesse dei sentimenti profondi, ma vederla così sconsolata mi mandò in pezzi. Le strinsi la mano e la baciai, baciai i suoi occhi, le guance umide e i capelli. Non credo che se ne rendesse conto. Me ne rendevo a malapena conto io. Ero in balia delle emozioni.

«"Cosa posso fare?" disse in un gemito.

«"Perché non mi sposi?".

181

«Cercò di ritrarsi ma non la lasciai andare.

«"Dopotutto, sarebbe una via d'uscita".

«"Ma come faccio a sposarti?" si lamentò. "Sono molto più vecchia di te".

«"Oh, che assurdità, di due o tre anni. Cosa m'importa?".

«"No, no".

«"Ma perché?".

«"Io non ti amo".

«"E allora? Io amo te".

«Non so più cosa le dissi. Che avrei fatto di tutto per renderla felice. Che non le avrei chiesto niente, tranne ciò che era pronta a darmi. E parlai e parlai. Cercai di farla ragionare. Sentivo che non voleva rimanere lì, nello stesso luogo dove stava Tim, e le dissi che presto mi sarei trasferito in un altro distretto. Immaginai che questo l'avrebbe tentata. Non poteva negare che stavamo sempre benissimo insieme. Dopo un po' parve calmarsi. Ebbi la sensazione che mi stesse ascoltando, e perfino che si rendesse conto di stare tra le mie braccia, e che questo la confortasse. Le diedi un altro goccio di whisky e una sigaretta. Infine decisi che potevo permettermi di scherzare un pochino.

«"Sai, non sono poi da buttare via" dissi. "Poteva andarti anche peggio".

«"Tu non mi conosci" fu la sua risposta. "Non sai niente di me".

«"Posso sempre imparare" dissi.

«Abbozzò un sorrisino.

«"Sei così caro, Mark" mi disse.

«"Dimmi di sì, Olive" la implorai.

«Sospirò profondamente. Fissò a lungo per terra, ma non si mosse. Sentivo la morbidezza del suo corpo tra le mie braccia. Attesi. Ero tremendamente nervoso, i minuti sembrarono infiniti.

«"E sia" disse alla fine, come se fosse inconsapevole del tempo trascorso tra la mia preghiera e la sua risposta.

«Ero così commosso che non avevo più niente da dire.

182

Ma quando cercai di baciarle le labbra lei girò il capo e non me lo permise. Io volevo che ci sposassimo subito, ma lei fu irremovibile. Voleva aspettare il ritorno di Tim. Non le capita mai di intuire così nitidamente i pensieri di qualcuno che se glieli avesse confidati non sarebbero più chiari? Ero sicuro che si rifiutava di credere alla lettera di Tim, che si aggrappava alla misera speranza che fosse solo un malinteso, che non si fosse sposato davvero. Mi addolorò, ma ero così innamorato che riuscii a sopportarlo. Ero pronto a sopportare qualsiasi cosa. L'adoravo. Mi aveva perfino proibito di dire a chicchessia che eravamo fidanzati. Dovetti promettere che non ne avrei fatto parola con nessuno fino al ritorno di Tim. Disse che il solo pensiero delle felicitazioni le risultava intollerabile. E mi aveva egualmente vietato di annunciare il matrimonio di Tim. Non voleva sentire ragioni. La mia impressione fu che dirlo in giro avrebbe conferito alla notizia un carattere definitivo che lei voleva negare.

«Ma la faccenda le sfuggì di mano; in Oriente le notizie hanno modi misteriosi di diffondersi. Non so cosa Olive avesse confidato all'*amah* quando aveva ricevuto la notizia del matrimonio di Tim; fatto sta che il *seis* degli Hardy ne parlò ai Sergison, e alla prima occasione Mrs Sergison mi incalzò.

«"Mi dicono che Tim Hardy si è sposato" fece.

«"Davvero?" risposi, col più vago dei toni.

«Sorrise della mia faccia inespressiva, e mi disse che glielo aveva riferito la sua *amah*, quindi lei aveva telefonato a Olive per chiederle se era vero. La sua risposta era stata abbastanza curiosa: senza veramente confermarlo, aveva detto di aver ricevuto una lettera di Tim in cui le diceva che si era sposato.

«"È una strana ragazza" continuò Mrs Sergison. "Quando le ho chiesto qualche dettaglio mi ha detto che lei non li conosceva, e quando poi le ho chiesto: 'Non è emozionata?' non mi ha neanche risposto".

«"Olive è molto attaccata a Tim, Mrs Sergison" dissi. "È

naturale che la notizia del suo matrimonio l'abbia scossa. Non sa assolutamente nulla della sposa, ed è sulle spine".

«"E voi due, a quando il matrimonio?" mi chiese a bruciapelo.

«"Accidenti, lei mi mette in imbarazzo" dissi, cercando di metterla sul ridere.

«Mi guardò con aria astuta.

«"Mi può dare la sua parola d'onore che non siete fidanzati?".

«Non volevo mentirle spudoratamente, né dirle di farsi gli affari suoi, però avevo solennemente promesso a Olive di non dire niente fino al ritorno di Tim. Cercai di essere evasivo.

«"Mrs Sergison, quando ci sarà qualcosa da sapere, le assicuro che lei sarà la prima a saperlo. Per ora le posso soltanto dire che non c'è cosa al mondo che io desideri più di sposare Olive".

«"Sono molto lieta che Tim si sia sposato" rispose. "E spero che Olive la sposerà al più presto. Era una vita morbosa e malsana quella di quei due, lassù, sempre troppo soli, troppo assorbiti l'uno dall'altra".

«Vedevo Olive quasi ogni giorno. Intuivo che non voleva alcuna intimità fisica, e mi accontentavo di darle un bacino quando arrivavo e uno quando me ne dovevo andare. Era molto cara, gentile e attenta: vedevo com'era lieta quando stavamo insieme e com'era triste quando andavo via. In quel periodo non cadeva nei suoi lunghi silenzi, e parlava come non mai. Ma non del futuro né di Tim o di sua moglie. Mi raccontò parecchio di Firenze e della madre. Aveva avuto una vita strana, solitaria; rimaneva spesso sola con i domestici e le governanti mentre mi è sembrato di capire che la madre passasse da una relazione all'altra, con sedicenti conti italiani o principi russi. Credo che già a quattordici anni le restasse ben poco da scoprire. Essere fuori dalle regole per lei era normale: nell'unico mondo che conobbe fino ai diciotto anni, non si parlava di convenzioni per il semplice fatto che non esistevano.

«A poco a poco, Olive sembrava ritrovare la sua serenità, e avrei pensato che si stesse abituando all'idea del matrimonio di Tim, se non avesse avuto un'aria così pallida e stremata. Decisi che non appena Tim fosse sbarcato, avrei insistito per sposarci subito. Potevo chiedere un congedo breve senza problemi, e una volta in congedo avrei fatto in modo di farmi assegnare a un altro posto. Olive doveva semplicemente cambiare aria e paesaggio.

«Sapevamo dell'arrivo di Tim già un giorno prima che la nave raggiungesse Penang, ma forse non sarebbe riuscito a prendere il treno; scrissi all'agente della compagnia navale chiedendogli di telegrafarmi non appena ci fossero informazioni sicure. Quando lo fece portai il suo telegramma a Olive e scoprii che lei ne aveva appena ricevuto uno da Tim. La nave aveva attraccato con anticipo e lui sarebbe arrivato il mattino seguente col treno delle otto; ma siccome si potevano mettere tranquillamente in conto fino a sei ore di ritardo, diedi a Olive un invito di Mrs Sergison che le proponeva di passare la notte da lei, così da trovarsi vicina alla stazione quando fosse giunta la notizia dell'arrivo del treno.

«Mi sentii immensamente sollevato. Ora che il confronto era imminente, ero convinto che Olive non ne avrebbe risentito troppo. La disperazione in cui era sprofondata era tale che ora doveva reagire. Magari la cognata le sarebbe piaciuta. Non c'era ragione perché non dovessero stare bene tutti e tre insieme. Con mia grande sorpresa, Olive disse che non sarebbe andata a prenderli alla stazione.

«"Gli darai un gran dispiacere" dissi.

«"Preferisco aspettarli qui" rispose. Abbozzò un sorriso. "Non parliamone, Mark, ho deciso".

«"Ma ho disposto perché preparino la colazione per tutti a casa mia".

«"Molto bene. Li vai a prendere, li porti a casa tua e fate colazione insieme, e più tardi verranno qui. Manderò la macchina, naturalmente".

«"Dubito che vorranno trattenersi se tu non ci sarai".

«"Ma certo che vorranno. Se il treno arriva puntuale, non avranno avuto il tempo di mangiare e saranno affamati. È un viaggio lungo da fare a stomaco vuoto".

«Ero disorientato. Aveva atteso trepidante l'arrivo di Tim e ora se ne rimaneva a casa da sola mentre noi pasteggiavamo allegramente. Conclusi che era nervosa e che preferiva rimandare il più possibile l'incontro con l'estranea che aveva preso il suo posto, ma mi sembrò totalmente irragionevole; come se un'ora prima o un'ora dopo facesse qualche differenza. D'altronde sapevo che le donne sono fatte a modo loro, e per di più Olive non era dell'umore adatto perché io potessi insistere.

«"Telefonami quando vi mettete in strada, di modo che sappia a che ora aspettarvi" disse.

«"Va bene," risposi "ma sai bene che non potrò venire con loro. Domani sarò a Lahad".

«Lahad era un villaggio dove andavo una volta a settimana per lavoro. Era piuttosto lontano, e dovevo attraversare un fiume con un traghetto che prendeva il suo tempo, di modo che ritornavo sempre sul tardi. Da quelle parti c'erano anche alcuni europei e un club. In genere mi toccava andarci, per fare due chiacchiere e accertarmi che fosse tutto a posto.

«"E comunque," aggiunsi "dubito che Tim mi voglia intorno proprio quando sua moglie mette piede qui per la prima volta. Se però mi vuoi invitare a cena, sarò ben lieto di raggiungervi più tardi".

«Olive sorrise.

«"Non penso che spetti più a me occuparmi degli inviti in questa casa, non ti pare?" disse. "Devi chiedere alla sposa".

«Lo disse con tanta leggerezza che ebbi un tuffo al cuore. Non solo sembrava aver accettato la nuova situazione, ma sembrava averlo fatto con allegria. Mi propose di rimanere a cena. Di solito me ne andavo verso le otto e cenavo a casa. Lei era dolcissima, quasi amorevole, e io al settimo cielo: erano settimane che non mi sentivo così, e il mio amore per lei non era mai stato così struggente.

Dopo un paio di gin pahit, a cena ero in gran forma. La feci ridere. Sembrava che fosse finalmente riuscita a liberarsi da quel dolore che le gravava sull'anima. Per questo non me la presi troppo per quel che accadde poi.

«"Non ti sembra giunto il momento di congedarsi da una fanciulla che si suppone illibata?".

«Il suo tono era così scherzoso che io risposi senza esitare:

«"Mia diletta, se credi che ti rimanga anche un solo briciolo di reputazione, ti sbagli di grosso. Non vorrai illuderti che le dame di Sibuku non sappiano che io ti ho reso visita tutti i santi giorni del mese! L'opinione comune è che, se non siamo ancora sposati, dovremo provvedere al più presto. Non sarebbe meglio se annunciassi che siamo fidanzati?".

«"Ma Mark, non devi prendere così sul serio quel nostro fidanzamento" disse.

«Io risi.

«"E come dovrei prenderlo altrimenti? È serio".

«Lei scosse lievemente la testa.

«"No. Quel giorno ero sconvolta e isterica. Tu sei stato molto dolce con me. Ti ho risposto di sì perché stavo troppo male per dire di no. Ma ora ho avuto il tempo di riprendermi. Non pensare male di me. Ho commesso un errore. È davvero biasimevole, lo so. Devi perdonarmi".

«"Su, cara, stai dicendo sciocchezze. Non hai motivo di cambiare idea".

«Mi guardò fisso. Era tranquilla. Negli occhi le apparve perfino l'ombra di un sorriso.

«"Io non ti posso sposare. Non posso sposare nessuno. È stato assurdo da parte mia pensare di poterlo fare".

«Sulle prime non risposi. Era d'un umore strambo e preferii non insistere.

«"Be', non posso certo trascinarti all'altare con la forza" dissi.

«Le porsi la mano e Olive la prese nella sua. Le passai un braccio attorno alle spalle e non cercò di sottrarsi. Mi permise di baciarla come sempre sulla guancia.

«La mattina seguente andai al treno. Per una volta era puntuale. Tim fece dei grandi cenni di saluto quando il suo vagone mi passò davanti; lo raggiunsi mentre stava già aiutando sua moglie a scendere. Mi strinse la mano calorosamente.

«"Dov'è Olive?" chiese, guardandosi attorno sul binario. "Questa è Sally".

«La salutai, e spiegai come mai Olive non era venuta.

«"Oh sì, è talmente presto, non è vero?" disse Mrs Hardy.

«Riferii loro il programma, colazione da me e poi a casa in macchina.

«"Vorrei tanto farmi un bagno" disse Mrs Hardy.

«"Niente di più facile" risposi.

«Era davvero una creaturina incantevole, con capelli biondissimi, enormi occhi azzurri e un bel nasino dritto. La pelle, di latte e di rose, era deliziosa. Forse un po' il tipo della ballerina, e questo le potrà apparire lezioso, ma nel genere era un gioiello. Arrivati a casa mia si fecero un bagno e Tim si rasò; rimasi solo con lui per pochi minuti. Mi chiese come avesse preso la notizia Olive. Gli dissi che l'aveva turbata.

«"Lo temevo" disse corrucciato. Sospirò. "Non avevo altra scelta".

«Non capii cosa volesse dire. In quel momento Mrs Hardy ci raggiunse e prese il marito sottobraccio. Lui le diede un'occhiata al contempo compiaciuta, affettuosa e divertita, come se non la prendesse troppo sul serio ma fosse orgoglioso della conquista e della sua bellezza. Era davvero splendida. Non era per nulla timida, dopo neanche dieci minuti mi disse di darle del tu, ed era senz'altro sveglia. Era molto eccitata di essere giunta a destinazione. Non aveva mai visto l'Oriente e tutto la entusiasmava. E per Tim stravedeva. Non gli staccava gli occhi di dosso un istante e pendeva dalle sue labbra. Dopo un'allegra colazione ci separammo; loro andarono a casa e io a Lahad. Promisi che al ritorno mi sarei diretto alla tenuta senza neanche passare da casa mia, anche perché sarebbe stata una deviazione inutile. Presi un abito di ricambio. Non c'era ragione perché Sally non sarebbe dovuta piacere a Olive: era schietta, ingenua, vivace; era giovanissima, diciannove anni al massimo, e la sua bellezza non poteva non toccarle il cuore. Ero contento di avere avuto una scusa ragionevole per lasciare quei tre da soli, ma mentre tornavo da Lahad ebbi la sensazione che sarebbero stati tutti contenti di vedermi. Raggiunsi il bungalow e suonai il clacson due o tre volte, aspettandomi che qualcuno mi venisse incontro. Nessuno. Non si vedeva neanche una luce accesa. Ero molto sorpreso. Silenzio assoluto. Non capivo. Dovevano essere in casa. Lo trovai alquanto strano. Aspettai ancora un momento, poi scesi dalla macchina e salii le scale. Arrivato in cima inciampai in qualcosa. Imprecai e mi chinai per vedere cosa fosse; dall'impatto avrei detto che si trattava di un corpo. Ne uscì un grido e vidi che era l'*amah*. Quando la toccai si ritrasse e ruppe in singhiozzi.

«"Cosa diavolo succede?" gridai, poi sentii una mano sulla spalla e udii: "*Tuan, tuan*". Mi voltai e nell'oscurità riconobbi il boy. Parlava a scatti dallo spavento. Lo ascoltai con orrore. Quel che mi disse era inenarrabile. Lo spinsi da parte e corsi in casa. Il salotto era buio. Accesi la luce. Come prima cosa vidi Sally raggomitolata sulla poltrona. Spaventata dalla mia apparizione gridò. Io non riuscivo quasi a parlare. Le chiesi se era vero. Rispose di sì, e la stanza prese a roteare tutto intorno a me. Mi dovetti sedere. Quando la loro macchina stava risalendo la stradina che portava al bungalow e Tim aveva suonato il clacson per annunciare il loro arrivo e i boy e l'*amah* gli erano andati incontro, era risuonato un colpo. Si erano precipitati nella camera di Olive e l'avevano trovata in una pozza di sangue, vicino allo specchio. Si era sparata con la pistola di Tim.

«"È morta?" chiesi.

«"No, hanno chiamato il medico, l'ha portata all'ospedale".

«Non sapevo neanch'io cosa facevo. Non mi diedi nemmeno la briga di dire a Sally dove andavo. Mi alzai e barcollai verso la porta, raggiunsi la macchina e dissi al mio *seis* di volare all'ospedale. Entrai di corsa. Chiesi dov'era. Cercarono di fermarmi ma li spinsi da parte. Sapevo dove si trovavano le camere private. Qualcuno mi prese per il braccio ma me lo scossi di dosso. Compresi vagamente che il dottore aveva dato l'ordine di non lasciare entrare nessuno. Non me ne importava nulla. Sulla porta c'era un inserviente, alzò il braccio per impedirmi di passare. Lo insultai e gli dissi di togliersi dai piedi. Devo aver fatto una scenata, ero fuori di me; si aprì la porta e uscì il dottore.

«"Chi è che fa tutto questo baccano?" disse. "Oh, è lei. Cosa vuole?".

«"È morta?" chiesi.

«"No. Ma è priva di sensi. Non si è più riavuta da allora. È questione di un'ora o due".

«"Devo vederla".

«"È escluso".

«"Sono il suo fidanzato".

«"Lei?" esclamò, e perfino in quello stato mi resi conto che mi guardava in modo strano. "A maggior ragione, allora".

«Non capivo cosa volesse dire. Ero annientato dall'orrore.

«"Ma sicuramente può fare qualcosa per salvarla!" gridai.

«Lui scosse la testa.

«"Se la vedesse non glielo augurerebbe".

«Lo fissai atterrito. In quel momento di silenzio udii un uomo che singhiozzava spasmodicamente.

«"Chi è?".

«"Il fratello".

«A quel punto sentii una mano sul mio braccio. Mi voltai, era Mrs Sergison.

«"Oh il mio povero ragazzo," disse "mi rincresce così tanto per lei".

«"Perché, perché l'ha fatto?" dissi in un rantolo.

«"Venga, venga via" disse Mrs Sergison. "Qui non può fare niente".

«"No, devo rimanere".

«"E sia, ma venga a sedersi nel mio ufficio" disse il dottore.

«Ero così disperato che mi lasciai condurre sottobraccio da Mrs Sergison. Mi fece sedere. Non riuscivo a capacitarmi che fosse accaduto davvero. Credevo fosse un incubo orribile da cui a un certo punto mi sarei risvegliato. Non so per quanto tempo restammo lì seduti. Tre ore. Quattro. Finalmente il dottore ci raggiunse.

«"È tutto finito" disse.

«Allora non ce la feci più, scoppiai in lacrime. Non mi importava di cosa pensassero. Ero tremendamente infelice.

«Fu sepolta il giorno dopo.

«Mrs Sergison mi accompagnò a casa e rimase con me per un po'. Voleva che andassi al club con lei. Non me la sentivo. Era molto gentile, ma fu un sollievo quando mi lasciò solo. Cercai di leggere ma le parole non avevano alcun senso. Mi sentivo morto nell'anima. Il mio boy entrò e accese le luci. Avevo un mal di testa da impazzire. Poi il boy ritornò dicendomi che c'era una signora che desiderava vedermi. Chiesi chi fosse. Non ne era sicuro, ma credeva fosse la nuova moglie del *tuan* di Putatan. Non capivo cosa potesse volere da me. Mi alzai e andai alla porta. Il boy aveva ragione: era Sally. La feci accomodare. Notai che era di un pallore spettrale. Mi spiacque per lei. Era un'esperienza terribile per una ragazza di quell'età, e un benvenuto atroce per una sposa. Si mise a sedere. Era nervosa. Cercai di farla sentire meglio parlando del più e del meno, ma mi metteva a disagio perché i suoi enormi occhi azzurri mi fissavano, sbarrati, colmi di orrore. All'improvviso mi interruppe.

«"Sei l'unica persona che conosco qui" disse. "Sono dovuta venire da te. Mi devi aiutare ad andarmene da questo posto".

«Rimasi di stucco.

«"Cosa vuoi dire?" dissi.

191

«"Non farmi domande. Aiutami solo ad andarmene. Subito. Devo tornare in Inghilterra!".

«"Ma non puoi abbandonare Tim in un momento così" dissi. "Su, devi farti forza. So bene che è stata un'esperienza terribile, ma pensa a lui. Se gli vuoi anche solo un po' di bene, devi stargli vicino e cercare di consolarlo".

«"Tu non sai niente!" gridò. "Io non ce la faccio a dirtelo. È troppo orribile. Aiutami, ti imploro. Se c'è un treno stasera lo prendo. Devo solo arrivare a Penang, per prendere la nave. Non posso stare in questo posto una notte di più o impazzisco".

«Ero attonito.

«"Tim lo sa?" le chiesi.

«"Non lo vedo da ieri sera. Non lo vedrò mai più, preferirei morire".

«Volevo guadagnare tempo.

«"Ma non puoi partire senza le tue cose. Non hai un bagaglio?".

«"Ma cosa importa?" gridò esasperata. "Ho quanto mi serve per il viaggio".

«"E soldi, ne hai?".

«"Quanto basta. C'è il treno stasera?".

«"Sì" dissi. "Dovrebbe partire dopo mezzanotte".

«"Sia ringraziato il Signore. Puoi organizzare tu la partenza? Posso stare qui fino ad allora?".

«"Mi metti in una gran brutta posizione" dissi. "Non so cosa fare. Lo sai che è una decisione molto grave?".

«"Se tu sapessi come stanno le cose, vedresti che non ho scelta".

«"Ci sarà uno scandalo, qui. Chissà cosa dirà la gente... Hai pensato alle conseguenze per Tim?". Ero preoccupato e afflitto. "Lo sa Dio che non voglio impicciarmi negli affari altrui, ma se vuoi che ti aiuti devo almeno saperne abbastanza per giustificare le mie azioni. Mi devi dire cos'è accaduto".

«"Non posso. Ti posso solo dire che so tutto".

«Si nascose il viso tra le mani; era scossa dai tremiti.

Poi ebbe un sussulto, come se si ritraesse di fronte a una scena orribile.

«"Non aveva il diritto di sposarmi. È mostruoso".

«La voce le uscì stridula e lacerante. Temevo che le venisse una crisi isterica. Il bel visetto da bambolina era terrorizzato, gli occhi erano fissi come se non potesse più chiuderli.

«"Non lo ami più?" chiesi.

«"Dopo tutto questo?".

«"Cosa farai se mi rifiuto di aiutarti?" chiesi.

«"Ci sarà un prete qui, o un dottore. Non potrai rifiutarti di portarmi da uno di loro".

«"Come sei arrivata fin qui?".

«"Mi ha accompagnata il boy. Ha trovato una macchina da qualche parte".

«"Tim lo sa che te ne sei andata?".

«"Non proverà a fermarmi, te lo garantisco. Non oserebbe. E in nome di Dio non provarci neanche tu. Ti giuro che se sto qui un'altra notte impazzisco".

«Sospirai. Dopotutto era grande abbastanza per fare le sue scelte».

Io, che sto scrivendo tutto questo, non avevo spiccicato parola da un bel po'.

«Aveva idea di cosa intendesse?».

Mi diede una lunga occhiata esausta.

«Poteva intendere una cosa sola. Indicibile. Sì, la capii subito. Spiegava tutto. Povera Olive. Povera cara. Era irragionevole da parte mia, ma in quel momento quella biondina tanto graziosa con gli occhi spaventati mi suscitava soltanto ripugnanza. La detestavo. Per un po' rimasi zitto. Poi le dissi che avrei fatto quel che mi chiedeva. Non mi ringraziò nemmeno. Credo che sapesse cosa provavo nei suoi confronti. All'ora di cena le diedi qualcosa da mangiare, dopodiché domandò se c'era una stanza dove potesse stendersi fino all'ora della partenza. L'accompagnai nella camera degli ospiti e la lasciai lì. Mi sedetti in salotto e attesi. Dio mio, mai il tempo mi parve trascorrere più lentamente. Credetti che la mezzanotte non sarebbe mai arrivata. Telefonai alla stazione e mi dissero che il treno non sarebbe passato prima delle due. A mezzanotte lei tornò in salotto e rimanemmo lì seduti per un'ora e mezzo. Non avevamo niente da dirci e nessuno parlò. Poi la portai in stazione e la misi sul treno».

«Ci fu un grande scandalo?».

Featherstone si rabbuiò.

«Non lo so. Richiesi un congedo breve. In seguito mi trasferirono. Venni a sapere che Tim aveva venduto la tenuta e se n'era comprata un'altra. Ma non sapevo dove. Fu uno shock quando me lo ritrovai qui».

Featherstone si alzò per prepararsi un altro whisky e soda. Nel silenzio che seguì udii il coro monotono del gracidio delle rane. E all'improvviso quell'uccello chiamato *fever-bird*, appollaiato su un albero vicino alla casa, iniziò a cantare. Tre note, in scala cromatica discendente, poi cinque, poi quattro. Le note della scala si succedevano, con variazioni continue, con insistenza sfibrante. Ti veniva da ascoltare per contarle, ma siccome non sapevi quante ce ne sarebbero state, ti torturava i nervi.

«Al diavolo quell'uccello» disse Featherstone. «Vuol dire che stanotte non chiuderò occhio».

LA FINE DELLA FUGA

Il capitano mi strinse la mano e mi augurò buona fortuna. Io scesi sottocoperta, mi feci largo nella ressa di passeggeri malesi, cinesi, daiacchi, e raggiunsi la scaletta. Guardando oltre il parapetto vidi che i miei bagagli erano già nella scialuppa: un'imbarcazione grande e rozza, con un'ampia vela squadrata in stuoia di bambù, piena zeppa di indigeni gesticolanti. Quando in qualche modo riuscii a salirci, mi fecero posto. Eravamo a circa cinque chilometri dalla riva e soffiava una brezza insistente. Man mano che ci avvicinavamo alla costa vidi che il verde rigoglioso delle palme da cocco arrivava fino a riva, e tra le palme scorsi i tetti bruni del villaggio. Un cinese che parlava inglese indicò il bungalow bianco dove risiedeva l'ufficiale distrettuale. Costui non lo sapeva, ma sarei stato suo ospite; in tasca avevo una lettera di raccomandazione.

Una volta sbarcato, lì sulla spiaggia luccicante con i bagagli in mano, mi sentii un po' derelitto. Era un angolo davvero sperduto quello, un paesino della costa settentrionale del Borneo, e sentii un pizzico di timidezza all'idea di comparire di fronte a un perfetto sconosciuto annunciando che avrei dormito sotto il suo tetto, mangiato il suo cibo e bevuto il suo whisky finché non fosse arrivata un'altra nave a condurmi al porto dov'ero diretto.

Ma avrei potuto risparmiarmi questi timori: appena raggiunsi il bungalow e consegnai la lettera, l'ufficiale – un uomo robusto, rubicondo e gioviale sui trentacinque – mi venne incontro di persona e mi diede un caloroso benvenuto. Mentre mi stringeva la mano gridò a un boy di portarci da bere e a un altro di occuparsi dei miei bagagli. Tagliò corto con le mie scuse.

«Buon Dio, amico mio, non ha idea della gioia che provo nel vederla. Non creda che sia io a farle un piacere dandole ospitalità: semmai è il contrario. E può rimanere quanto diavolo vuole. Per me, si fermi pure un anno intero».

Risi. Egli mise il lavoro da parte, assicurandomi che ogni cosa poteva aspettare fino all'indomani, e si spaparanzò sulla sedia a sdraio. Parlammo e bevemmo e parlammo. Quando la calura diurna diminuì andammo a fare una lunga camminata nella giungla e ritornammo bagnati fradici. Dopo esserci lavati e cambiati d'abito, ci mettemmo a tavola. Io però ero esausto, e sebbene il padrone di casa fosse seriamente intenzionato a trascorrere l'intera notte in chiacchiere, a un certo punto dovetti pregarlo di permettermi di ritirarmi.

«Ma certo, la accompagno per controllare che la sua camera sia a posto».

Era una stanza ampia con delle verande sui due lati, pochi mobili, ma un grande letto protetto da una zanzariera.

«Il materasso è un po' duro, le fa niente?».

«Andrà benissimo: finalmente dormirò senza ondeggiare».

Il padrone di casa osservò il letto con aria pensosa.

«L'ultimo che ci ha dormito era un olandese. La vuole sentire una storia buffa?».

Io volevo solo andarmene a letto, ma lui era il padrone di casa, ed essendo anch'io talvolta un umorista so bene come sia duro avere una storiella da raccontare e non trovare un ascoltatore.

«L'olandese arrivò con la sua stessa nave, l'ultima volta che è passata di qui; venne nel mio ufficio e chiese dov'era il bungalow d'accoglienza. Gli risposi che non c'era, ma se non aveva un posto dove andare gli avrei dato volentieri ospitalità. Colse l'occasione al volo. Gli dissi di far portare le sue valigie. «"Il mio bagaglio è tutto qui".

«Mi mostrò una borsetta nera e lucida. Sembrava un po' poco, ma non erano affari miei, quindi gli dissi di sistemarsi nel mio bungalow e che l'avrei raggiunto una volta finito di lavorare. Mentre parlavo si aprì la porta ed entrò il mio impiegato. L'olandese dava la schiena alla porta, e può darsi che l'impiegato l'avesse aperta di scatto; fatto sta che l'olandese lanciò un urlo, fece un salto di mezzo metro e tirò fuori una pistola. «"Ma che diavolo fa?" chiesi.

«Quando vide che si trattava del mio impiegato, si accasciò. Si appoggiò alla scrivania ansimando e, parola mia, tremava come se avesse avuto la febbre a quaranta. «"Le chiedo perdono" disse. "Sono i nervi. Ho i nervi a pezzi".

«"Direi proprio" risposi.

«Fui abbastanza brusco con lui. A dire il vero, mi ero pentito di averlo invitato a stare da me. Non sembrava un ubriacone, e mi chiesi se non fosse ricercato dalla polizia. Ma se così era, mi dissi, non sarebbe stato tanto sciocco da venir dritto nella tana del lupo. «"Farebbe bene ad andare a riposarsi" gli dissi.

«Se ne andò, e quando rientrai al bungalow lo trovai seduto nella veranda, abbastanza tranquillo, ma dritto come un fuso. Si era fatto un bagno, si era rasato, si era cambiato, ed era piuttosto presentabile. «"Perché sta seduto lì in mezzo?" gli chiesi. "Starà molto più comodo sulla sedia a sdraio".

«"Preferisco stare qui" rispose.

«Bizzarro, pensai. Ma se con questo caldo uno preferisce star seduto invece che sdraiato, è affar suo. Non era un granché a vedersi, abbastanza alto e di costituzione pesante, con la testa squadrata e i capelli corti e ispidi. Sarà stato sulla quarantina. La cosa che più mi colpì era la sua espressione. C'era uno sguardo nei suoi occhi, occhietti piccoli e azzurri, che trovavo indecifrabile; e il viso era come afflosciato; sembrava che stesse per piangere. Aveva un modo strano di guardarsi in fretta dietro le spalle, a sinistra, come se avesse udito qualcosa. Dio buono, com'era nervoso. Ma dopo un paio di bicchieri iniziammo a parlare. Il suo inglese era eccellente e, a parte un lieve accento, quasi non ti accorgevi che era straniero; devo ammettere che era un amabile conversatore. Era stato ovunque e aveva letto di tutto. Era un piacere ascoltarlo.

«Bevemmo tre o quattro whisky al pomeriggio, e un bel po' di gin pahit più tardi; quando arrivò l'ora di cena eravamo alquanto ilari e giunsi alla conclusione che fosse un gran bel tipo. Chiaramente a cena bevemmo ancora del whisky e io avevo in casa una bottiglia di Bénédictine, così in seguito non disdegnammo qualche bicchierino di liquore. Difficile pensare che non fossimo ubriachi.

«Alla fine mi disse perché era venuto qui. Una storia strana».

Il mio ospite si arrestò, guardandomi con la bocca leggermente aperta come se, ricordandosene ora, fosse nuovamente turbato da quella stranezza.

«Veniva da Sumatra, l'olandese, ne aveva combinata una a un acehnese e l'acehnese aveva giurato di ucciderlo. Lui sulle prime non si era preoccupato, ma il tizio ci provò due o tre volte e la cosa iniziava a diventare importuna, quindi decise di cambiare aria. Se ne andò a Batavia, con l'idea di spassarsela un po'. Ma tempo una settimana e vede il tizio che sgattaiola via rasente un muro. Porco Giuda, l'aveva seguito. Sembrava fare sul serio. L'olandese si rese conto che c'era poco da ridere, e decise che la cosa migliore era filarsela a Surabaya. Bene, un giorno era lì che passeggiava, sa come sono affollate quelle strade, quando girandosi scorse l'acehnese che lo seguiva quatto quatto. Si prese un colpo. Chiunque si prenderebbe un colpo.

«L'olandese se ne tornò dritto in hotel, fece la valigia e prese il primo battello per Singapore. Ovviamente andò al Van Wyck, tutti gli olandesi alloggiano lì, e un giorno mentre beveva qualcosa nel cortile di fronte all'hotel ecco che entra l'acehnese! Con un bel pelo sullo stomaco lo fissa per un minuto e poi se ne va. L'olandese disse di esser rimasto come paralizzato: il tizio avrebbe potuto piantargli un *kriss* nel petto e lui non sarebbe neanche riuscito a muovere la mano per proteggersi. L'olandese sapeva che l'altro stava solo prendendo tempo, quell'indigeno della malora l'avrebbe fatto secco, glielo vedeva negli occhi; ed ebbe un crollo».

«Ma perché non è andato alla polizia?».

«Non lo so. Immagino che preferisse non immischiarla».

«E cosa aveva fatto a quel tipo?».

«Non so neanche questo. Non ha voluto dirmelo. Ma da come mi ha guardato quando gliel'ho chiesto, dev'essere stata una bella carognata. Ho idea che sapesse di meritare quello che l'acehnese voleva fargli».

Il padrone di casa si accese una sigaretta.

«E quindi?» chiesi.

«Tra un viaggio e l'altro il capitano del battello che va da Singapore a Kuching risiede al Van Wyck, e sarebbe ripartito la mattina seguente all'alba. L'olandese credette che fosse la sua occasione per liberarsi del tizio una volta per tutte; lasciò il bagaglio in albergo e scese al porto con il capitano, lo accompagnò sulla nave come per salutarlo e invece quando questa partì rimase a bordo. A quel punto i suoi nervi erano già andati. Non gli importava più di niente se non di sbarazzarsi dell'acehnese. A Kuching si sentì abbastanza al sicuro; prese una stanza alla pensione e si comprò un paio di completi e di camicie nei negozi cinesi. Ma a dormire non ci riusciva. Sognava quell'uomo, cinque o sei volte si era svegliato proprio mentre un *kriss* gli tagliava la gola. Dio buono, mi faceva pena. Mentre parlava tremava, la voce era roca dal terrore. Ecco cos'era lo sguardo che avevo colto nei suoi occhi, si ricorda? Le dicevo che aveva un'espressione strana e non capivo cosa fosse. Era questo, era la paura.

«E un giorno, mentre si trovava al club di Kuching, guardò fuori dalla finestra e lì seduto vide l'acehnese. I loro sguardi si incrociarono. L'olandese ebbe uno spasmo, poi svenne. Appena si riprese pensò solo a fuggire. Be', sa, non c'è un gran traffico a Kuching, e il battello che l'ha portata qui era l'unico che gli permettesse di andarsene alla svelta. Si imbarcò. Era sicuro che l'uomo non si trovasse a bordo».

«Ma per che ragione scese qui?».

«È che quel vecchio cargo fa una dozzina di fermate lungo la costa, e l'acehnese non poteva immaginare che lui fosse sbarcato qui, perché lui lo decise solo quando vide che c'era un'unica imbarcazione che portava i passeggeri a riva, e che erano al massimo dieci persone.

«"Almeno per un po', qui sarò senz'altro al sicuro," mi disse "e se posso starmene tranquillo un momento mi rimetterò in sesto i nervi".

«"Si fermi pure quanto le pare" gli risposi. "Qui non si deve preoccupare, almeno finché non torna il battello il mese prossimo, e se vorrà sorveglieremo le persone che sbarcano".

«Stava quasi per abbracciarmi. Si vedeva che sollievo fosse per lui.

«Era tardi, e dissi che mi sembrava l'ora di coricarci. Lo accompagnai nella sua stanza per controllare che fosse tutto in ordine. Chiuse a chiave la porta della cabina da bagno e sprangò le imposte, sebbene gli avessi detto che non correva alcun rischio, e andandomene udii che chiudeva anche la porta da cui ero uscito.

«La mattina seguente, quando il boy mi portò il tè, gli chiesi se era andato a chiamare l'olandese. Rispose che stava per farlo. Lo udii bussare ripetutamente. Strano, pensai. Il boy martellava sulla porta, ma non arrivava risposta. Iniziai a sentirmi un po' a disagio, così andai a vedere. Bussai a mia volta. Facevamo un baccano da svegliare i morti, ma l'olandese continuava a dormire. Allora sfondai la porta. La zanzariera era rimboccata con cura tutto attorno al letto. La scostai. Lui giaceva sul dorso con gli occhi sbarrati. Era morto stecchito. Aveva un *kriss* appoggiato sulla gola, e mi dia del bugiardo se vuole, ma glielo giuro su Dio, non aveva un graffio. La stanza era vuota.

«Buffo, eh?».

«Be', dipende dall'idea che uno ha dell'umorismo».

Il mio ospite mi lanciò un'occhiata.

«Non le fa niente dormire in quel letto, vero?».

«N-no. Ma la storia me la poteva raccontare anche domani mattina».

L'AVAMPOSTO

Il nuovo assistente arrivò di pomeriggio. Quando gli dissero che il *praho* era stato avvistato, il ministro residente, Mr Warburton, si infilò il casco coloniale e scese al pontile. Al suo passaggio gli otto soldatini daiacchi della guardia scattarono sull'attenti. Lui notò con soddisfazione che il loro portamento era marziale, le uniformi pulite e ordinate, i fucili luccicanti. Gli facevano onore. Dal pontile osservò l'ansa del fiume dalla quale a momenti sarebbe spuntata l'imbarcazione. Pantaloni di tela immacolati, scarpe bianche: era impeccabile. Sottobraccio teneva un bastone di malacca dal pomello d'oro, regalatogli dal sultano di Perak. Attendeva il nuovo venuto con sentimenti contrastanti. Nel distretto c'era troppo lavoro per un uomo solo, e durante i suoi regolari viaggi nei territori di sua giurisdizione era inopportuno lasciare il posto nelle mani di un impiegato indigeno, ma era passato tanto tempo dall'ultima volta che aveva visto un altro bianco che non poteva non provare una certa apprensione. Si era abituato alla solitudine. Durante la guerra non aveva visto una sola faccia inglese in tre anni. Una volta aveva ricevuto l'ordine di ospitare un ufficiale forestale e si era apprestato per la sua permanenza; ma poi, preso dal panico, aveva lasciato un biglietto in cui diceva che aveva dovuto risalire il fiume per un incarico e se l'era filata prima che l'ufficiale arrivasse; aveva fatto ritorno solo quando un messaggero l'aveva informato della sua partenza.

Poi il *praho* apparve navigando sottovento. L'equipaggio era composto di prigionieri, daiacchi condannati a varie pene, e sul pontile un paio di agenti li aspettava per riportarli in carcere. Erano uomini robusti, abituati al fiume, e remavano con colpi possenti. Quando la barca accostò, un uomo uscì da sotto la tettoia di palme e saltò a riva. La guardia si mise sull'attenti.

«Oh, per Dio, eccoci qui finalmente. Diavoli, sono tutto un crampo. Le ho portato la sua posta».

Parlava con piglio gioviale. Mr Warburton gli tese educatamente la mano.

«Mr Cooper, immagino».

«Perché, aspetta altre visite?».

La domanda era faceta, ma il ministro residente non sorrise.

«Mi chiamo Warburton. Le mostro l'alloggio. Del suo equipaggiamento si occuperanno loro».

Gli fece strada su un sentierino; varcarono un recinto ed entrarono in un piccolo bungalow.

«Ho disposto perché lo rendessero il più abitabile possibile, ma ormai è da parecchi anni che non ci vive nessuno».

Era una palafitta composta di un lungo salotto che dava su un'ampia veranda, e di due stanze da letto sul retro, ai lati di un disimpegno.

«Mi andrà benissimo» disse Cooper.

«Vorrà farsi un bagno e cambiarsi d'abito. Sarei molto lieto se cenasse con me questa sera. Le andrebbe bene alle otto?».

«Se va bene a lei...».

Il ministro residente sorrise in modo cortese, seppure un po' perplesso, e si ritirò. Ritornò al forte, dove alloggiava. Allen Cooper non gli aveva fatto un'impressione molto favorevole, ma lui era un uomo equanime, e sapeva che era ingiusto farsi un'opinione al primo colpo d'occhio. Cooper era sulla trentina, un tipo alto e sottile con il viso scavato, senza il minimo accenno di colore. Un viso di un'unica tonalità. Aveva un grande naso aquilino e gli occhi bruni. Quando, entrato nel bungalow, si era levato il casco e l'aveva gettato a un boy, Mr Warburton aveva notato che il suo grosso cranio, ricoperto di corti capelli scuri, creava uno strano contrasto con il mento gracile. Portava dei pantaloncini e una camicia color cachi, ma frusti e sporchi; il casco, anch'esso malridotto, non veniva pulito da giorni. Ma Mr Warburton si disse che, dopotutto, il giovane aveva passato una settimana su un piroscafo costiero e le ultime quarantott'ore steso sul fondo di un *praho*.

«Vedremo come si presenterà stasera a cena».

Andò in camera, dove le sue cose erano disposte con un tale ordine che sembrava avesse al suo servizio un valletto inglese, si svestì, scese le scale diretto alla cabina da bagno e si risciacquò sotto l'acqua corrente. L'unica concessione che fece al clima fu una giacca da sera bianca; per il resto, camicia inamidata a colletto alto, calze di seta e scarpe di vernice, proprio come se andasse a passeggiare al suo club di Pall Mall. Anfitrione attento, andò nella sala da pranzo per accertarsi che tutto fosse disposto a modo. Le orchidee rallegravano l'atmosfera, l'argenteria scintillava. I tovaglioli erano piegati in forme arzigogolate. Le candele coi paralumi, in candelabri d'argento, davano una luce soffusa. Mr Warburton sorrise con approvazione e ritornò in salotto ad aspettare l'ospite. Il quale comparve vestito con gli stessi pantaloncini cachi, la stessa camicia cachi, e la giacca logora con cui era approdato. Il sorriso di benvenuto si gelò sul viso di Mr Warburton.

«Salve, si è messo in ghingheri» disse Cooper. «E chi se lo immaginava? C'è mancato poco che venissi in *sarong*».

«Oh, non ha importanza. I suoi boy erano di certo molto indaffarati».

«Sa, non doveva farsi bello apposta per me».

«Infatti. Mi vesto sempre così per cena».

«Anche quando è da solo?».

«In particolar modo quando sono da solo» rispose Mr Warburton con uno sguardo gelido.

Scorse uno scintillio divertito negli occhi di Cooper e si fece paonazzo di rabbia. Mr Warburton era un bilioso; lo si intuiva dal viso rubicondo, dai tratti aggressivi e dai capelli rossi, ormai brizzolati; i suoi occhi azzurri, in genere freddi e osservatori, potevano infiammarsi di collera improvvisa; ma era un uomo di mondo e, almeno così sperava, un uomo giusto. Doveva fare del suo meglio per andare d'accordo con quell'individuo.

«Quando vivevo a Londra frequentavo ambienti nei quali non vestirsi da sera sarebbe stato tanto eccentrico quanto non fare un bagno caldo la mattina. Al mio arrivo nel Borneo non trovai nessuna ragione per sottrarmi a tale lodevole abitudine. Per tre anni, durante la guerra, non vidi nemmeno un uomo bianco. Ma non ci fu volta, quando ero in condizione di venire a cena s'intende, in cui non mi vestii come si deve. Lei non ha trascorso molto tempo in questo paese, ma mi creda, non c'è modo migliore per tener viva la propria dignità e il proprio orgoglio. Se fa la purché minima concessione a quanto le sta intorno, ben presto perderà il rispetto di sé, e a quel punto le posso assicurare che neanche gli indigeni la rispetteranno più».

«E come no. Se però lei spera che io mi metta una camicia inamidata e un colletto rigido con questo caldo, mi sa che rimarrà deluso».

«Quando cenerà nel suo bungalow, potrà vestirsi come meglio crede; quando invece mi concederà il piacere di cenare con me, forse giungerà alla conclusione che indossare gli abiti in uso nella società civile è semplice educazione».

Entrarono due boy malesi, in *sarong* e *songkok* e eleganti giacche dai bottoni di rame; uno porse loro i gin pahit e l'altro un vassoio con acciughe e olive. Si misero a tavola. Mr Warburton si vantò di avere il miglior cuoco del Borneo, un cinese, che si dava un gran daffare per trovare il miglior cibo possibile in quelle difficili circostanze. Dava prova di grande ingegno nel trarre il massimo da quel che aveva a disposizione.

«Forse gradisce dare un'occhiata al menu?» chiese, porgendolo a Cooper.

Era scritto in francese e i piatti avevano nomi altisonanti. Erano serviti dai due boy. Agli angoli della stanza, altri due boy agitavano degli enormi ventagli per smuovere l'aria afosa. Le pietanze erano sontuose e lo champagne eccellente.

«Lei si tratta così ogni giorno?» chiese Cooper.

Mr Warburton diede un'occhiata noncurante al menu.

«Non mi pare che la cena sia diversa dal solito» rispose. «A dire il vero io mangio molto poco, ma ci tengo a farmi servire ogni sera una cena come si deve. In questo modo il cuoco si tiene in allenamento e per i boy è un buon esercizio di disciplina».

La conversazione procedeva a stento. Mr Warburton era estremamente cerimonioso, e forse traeva un divertimento leggermente malevolo dal disagio che ciò suscitava nel suo ospite. Cooper aveva trascorso solo pochi mesi a Sembulu, e le domande di Mr Warburton riguardo alle sue conoscenze di Kuala Solor si esaurirono presto.

«Tra l'altro,» disse ad un tratto quest'ultimo «ha incontrato un giovane di nome Hennerley? Dovrebbe essere arrivato di recente, se non vado errato».

«Sì, certo, è nella polizia. Un poco di buono».

«Questo mi stupisce alquanto. Suo zio è il mio caro amico Lord Barraclough. Appena l'altro giorno ho ricevuto una lettera da Lady Barraclough che lo raccomandava alla mia attenzione».

«Sì, ho sentito che era imparentato con questo e con quello. Immagino che è così che ha avuto il posto. È uno che ha studiato a Eton e a Oxford, e non perde occasione per ricordartelo».

«Stento davvero a crederlo» rispose Mr Warburton. «Nella sua famiglia hanno studiato tutti a Eton e a Oxford, da duecento anni a questa parte. La cosa dovrebbe sembrargli molto naturale».

«Per me si dà un sacco di arie».

«Lei dove ha studiato?».

«Sono nato nelle Barbados. Sono andato a scuola lì».

«Ah, ecco».

Mr Warburton riuscì a concentrare un tale disdegno nella sua breve risposta che Cooper avvampò. Per un po' rimase zitto.

«Ho ricevuto due o tre lettere da Kuala Solor,» proseguì Mr Warburton «e la mia impressione era che il giovane Hennerley avesse riscosso un certo successo. Dicono che sia uno sportivo di prima categoria».

«Oh, sicuro, è molto popolare. È proprio il tipo che là piace molto. Dal canto mio, non so cosa farmene degli sportivi di prima categoria. Cosa conta, alla lunga, se uno sa giocare a golf e a tennis meglio di altri? E a chi importa se fa settantacinque punti di fila a carambola? In Inghilterra attribuiscono un'importanza spropositata a questo tipo di cose».

«Ne è convinto? Avevo l'impressione che in guerra gli sportivi di prima categoria non se la fossero cavata poi tanto male».

«Ah, guardi, se vuol parlare della guerra, io so il fatto mio. Ero nello stesso reggimento di Hennerley e le posso assicurare che la truppa non lo poteva soffrire».

«E lei come lo sa?».

«Facevo parte della truppa».

«Ah, così lei non ha il brevetto di ufficiale».

«Sì, me lo regalano a me, il brevetto. Io ero quel che si dice "un Coloniale". Non avevo frequentato una scuola privata e non avevo relazioni altolocate. Sono rimasto uno schifo di soldato semplice per tutto quel tempo».

Cooper si rabbuiò. Sembrava reprimere a fatica uno sfogo di violente invettive. Mr Warburton lo fissava strizzando gli occhietti azzurri, lo fissava e si formava un'opinione. Cambiando argomento, si mise a spiegare a Cooper quali sarebbero stati i suoi compiti, e quando rintoccarono le dieci si alzò.

«Bene, non la voglio trattenere più a lungo. Immagino che sarà stremato dal viaggio».

Si strinsero la mano.

«Ah, ehi, ancora una cosa,» disse Cooper «mi chiedevo se mi può trovare un boy. Quello che avevo prima se l'è filata quando sono partito da Kuala Solor. Ha portato a bordo il mio bagaglio e poi è scomparso. Mi sono accorto che non c'era solo quando avevamo già preso il largo».

«Domanderò al mio boy. Sono certo che le troverà qualcuno».

«Perfetto. Gli dica di mandarmelo, e se mi va a genio lo tengo».

C'era la luna e non ci fu bisogno di lanterne. Cooper si incamminò verso il suo bungalow.

«Perché mai mi avranno destinato un tizio come questo?» rifletteva Mr Warburton. «Se è questa la gente che mandano in giro adesso, non mi convince affatto».

Passeggiò per il giardino. Il forte era costruito in cima a una collinetta e il giardino scendeva fino al fiume; lungo la riva c'era una pergola, e dopo cena era sua abitudine sedersi lì a fumare un *cheroot*. E spesso dal fiume che scorreva ai suoi piedi gli giungeva una voce, la voce di un qualche malese troppo timoroso per presentarsi alla luce del giorno, e una lamentela o un'accusa aleggiava leggera verso le sue orecchie, gli venivano sussurrati un'informazione o un utile indizio che mai l'avrebbero raggiunto per via ufficiale. Egli si lasciò cadere pesantemente sulla sdraio di vimini. Quel Cooper! Un tizio invidioso e maleducato, borioso, saccente e vanesio. Ma l'irritazione di Mr Warburton dovette soccombere alla bellezza silenziosa della notte. L'aria era intrisa del dolce profumo dei fiori di un albero che cresceva all'entrata della pergola, e le lucciole brillavano fioche nel loro lento volo argenteo. Sull'ampio fiume la luna disegnava un percorso per i piedi leggeri della sposa di Shiva, e sull'altra riva una fila di palme si stagliava delicatamente contro il cielo. Nell'animo di Mr Warburton scese la pace.

Era un originale, e la sua era stata una carriera singolare. A ventun anni aveva ereditato una fortuna considerevole, centomila sterline, e una volta lasciata Oxford si era abbandonato alla bella vita che a quei tempi (ora Mr Warburton aveva cinquantaquattro anni) si offriva a un giovanotto di buona famiglia. Aveva un appartamento in Mount Street, il suo calesse privato, un capanno da caccia nel Warwickshire. Frequentava tutti i posti dove si riuniva la crème. Era bello, munifico e spiritoso. Nell'alta società londinese dei primi anni Novanta era molto conosciuto, e allora quella società non aveva perso niente del suo esclusivismo o del suo splendore. La Guerra boera che la sconvolse giunse inaspettata, e la Grande Guerra che la distrusse fu profetizzata solo dai più pessimisti. Non era affatto spiacevole essere un giovanotto benestante a quei tempi, e durante la stagione mondana la caminiera di Mr Warburton era ingombra di inviti a un'infinità di grandiosi ricevimenti. Mr Warburton li metteva in bella mostra compiaciuto. Perché Mr Warburton era uno snob. Non lo snob timoroso che si vergogna un po' di lasciarsi impressionare dal prestigio altrui, né lo snob che cerca l'amicizia di chi ha acquisito celebrità in politica o fama nelle arti, né lo snob abbagliato dalla ricchezza. Lui era l'autentico, schietto snob che ha un debole per i nobili. Era permaloso e suscettibile, ma avrebbe preferito di gran lunga essere ignorato da un nobile che adulato da una persona qualunque. Il suo nome figurava in maniera del tutto insignificante sul Registro araldico, ed era una meraviglia osservare con quale ingegno riuscisse a menzionare la lontana parentela con quella tale famiglia aristocratica; ma mai che gli uscisse di bocca una parola sul probo industriale di Liverpool dal quale per via di madre, una certa signorina Gubbins, aveva ereditato la sua fortuna. Era il terrore della sua vita mondana che, magari a Cowes o ad Ascot, mentre si intratteneva con una duchessa o addirittura con un principe del sangue, uno di quei parenti lo riconoscesse e andasse a salutarlo.

Questa debolezza era troppo palese per non essere risaputa, ma proprio la sua esagerazione la salvava da un giudizio troppo severo. I grandi che tanto adorava ridevano di lui, però in cuor loro riconoscevano che la sua adorazione non era poi così innaturale. Il povero Warburton era un terribile snob, certo, ma tutto sommato era un buon diavolo, sempre pronto a saldare un conto per un nobile squattrinato; e se proprio ti trovavi alle strette sapevi che non ti avrebbe mai rifiutato cento sterline. Dava delle ottime cene. Era un pessimo giocatore di whist, ma se la compagnia era adeguata non gli importava dei soldi. Aveva il vizio del gioco e poca fortuna, ma almeno sapeva perdere, ed era impossibile non ammirare l'impassibilità con cui poteva buttar via cinquecento sterline in una sola mano. La sua passione per le carte, seconda solo a quella per i titoli nobiliari, fu la causa della sua rovina. Conduceva una vita dispendiosa e le sue perdite al gioco erano colossali. Divenne sempre più avventato, prima coi cavalli, poi con la Borsa. Per certi aspetti era ingenuo, e fu facile preda di gente senza scrupoli. Non saprei dire se si fosse mai accorto che i suoi amici chic ridevano alle sue spalle, ma ho l'impressione che un oscuro istinto gli vietasse di mostrare altro che noncuranza verso i suoi soldi. Finì nelle grinfie degli usurai. A trentaquattro anni era rovinato.

Era troppo imbevuto dello spirito della sua classe per esitare sul da farsi. Quando un uomo del suo rango finisce i soldi, si imbarca per le colonie. Mai nessuno lo sentì lagnarsi. Non recriminò perché un nobile amico gli aveva consigliato un investimento catastrofico, non pretese nulla dai suoi debitori, si curò di pagare i propri debiti (senza rendersi conto che era il vituperato sangue dell'industriale di Liverpool a dettargli una simile azione), non chiese aiuto a nessuno e, senza aver mai lavorato un giorno in vita sua, cercò un mezzo di sostentamento. Non perse né l'allegria, né la disinvoltura, né il senso dell'umorismo. Non ci teneva affatto a mettere a disagio le persone della sua cerchia con la recita delle sue sfortune. Mr Warburton era uno snob, ma era anche un gentiluomo.

L'unico favore che chiese agli amici importanti che aveva frequentato quotidianamente per anni fu una raccomandazione. Così, colui che al tempo era sultano di Sembulu, un uomo capace, lo prese al suo servizio. La notte prima di imbarcarsi egli cenò per l'ultima volta al club.

«Mi dicono che sta per partire, Warburton» gli disse l'anziano duca di Hereford.

«Ebbene sì, vado nel Borneo».

«Oh cielo, e che cosa ci va a fare?».

«Be', sono sul lastrico».

«Davvero? Mi rincresce. Bene, ci faccia sapere quando torna. Spero si divertirà».

«Ma certo. Si va sempre a caccia, da quelle parti».

Il duca annuì e passò oltre. Poche ore dopo, Mr Warburton guardò la costa inglese retrocedere nelle brume, e abbandonò tutto quel che gli rendeva la vita degna di essere vissuta.

Da allora erano passati vent'anni. Aveva mantenuto un'assidua corrispondenza con diverse gran dame e le sue lettere erano sempre briose e argute. Non aveva perso la passione per la nobiltà, e sul «Times» (che riceveva con sei settimane di ritardo) ne seguiva con zelo le vicende. Scandagliava gli annunci di nascite, morti e matrimoni, ed era sempre pronto con una lettera di congratulazioni o condoglianze. Le riviste illustrate lo tenevano aggiornato sull'aspetto delle persone, e durante le periodiche visite in Inghilterra, abile nel ricucire i fili dei rapporti come se non si fossero mai spezzati, sapeva tutto quel che c'era da sapere su chiunque avesse fatto la sua apparizione sulla scena sociale. Il suo interesse per il gran mondo era vivo come quando ne faceva parte. Gli sembrava tuttora l'unica cosa importante.

Ma gradualmente nella sua vita si era fatto strada un nuovo interesse. La posizione in cui si era trovato stuzzicava la sua vanità; non era più l'adulatore che smaniava per un sorriso del potente; era il capo la cui parola è legge. Lo gratificava la guardia di soldati daiacchi che scattava sull'attenti al suo passaggio. Gli piaceva essere il giudice dei suoi simili. Lo appagava sedare le liti tra capi rivali. Quando, nei primi tempi, i cacciatori di teste si mostravano pericolosi, aveva condotto le spedizioni punitive con un brivido d'orgoglio per il proprio comportamento. Era troppo vanitoso per non essere impavido, e correva voce che avesse varcato da solo lo steccato di un villaggio per intimare a un pirata sanguinario di arrendersi. Divenne un abile amministratore. Era severo, giusto, onesto.

E a poco a poco aveva iniziato a provare un affetto profondo per i malesi. Si interessava delle loro usanze. Non si stancava mai di ascoltarli parlare. Ammirava le loro virtù e, con un sorriso e un'alzatina di spalle, perdonava i loro vizi.

«Ai miei tempi,» diceva «sono stato intimo amico di alcuni dei più raffinati gentiluomini inglesi, ma non ho mai incontrato gentiluomini più raffinati di certi malesi ben nati che sono fiero di poter considerare miei amici».

Gli piacevano la loro cortesia e le loro maniere distinte, la loro pacatezza e le loro passioni improvvise. Capiva al volo come trattarli. Nutriva per loro una tenerezza genuina. Però non si scordava mai di essere inglese, e non poteva soffrire i bianchi che si adattavano ai costumi locali. Su questo era inflessibile. E non imitò mai i tantissimi bianchi che avevano sposato un'indigena, poiché una tresca di quella natura, per quanto canonizzata dalla consuetudine, gli sembrava non solo sconveniente, ma anche poco dignitosa. Era escluso che un uomo al quale Albert Edward, il principe di Galles, aveva dato del tu potesse stringere un legame qualsivoglia con un'indigena. In ogni caso, quando ritornava nel Borneo dopo una visita in Inghilterra, da qualche tempo provava una sorta di sollievo. I suoi amici, al pari di lui, non erano più giovani, e c'era una nuova generazione che lo considerava un vecchio barboso. Gli pareva che l'Inghilterra odierna avesse perso buona parte di quanto lui vi aveva amato in gioventù. Il Borneo invece rimaneva uguale. Ormai era casa sua. Intendeva rimanere in servizio il più a lungo possibile, e la sua speranza segreta era di morire prima di dover andare in pensione. Nel testamento aveva indicato che, dovunque fosse morto, voleva che la sua salma venisse riportata a Sembulu per essere sepolta tra le persone che amava vicino al dolce suono del fiume che scorre.

Ma queste emozioni le teneva nascoste agli occhi degli altri, e nessuno, vedendo quell'omone sempre elegantissimo, col viso forte e ben rasato e i capelli che incanutivano, si sarebbe sognato che nutrisse in sé un sentimento così profondo.

Aveva le idee chiare su come doveva essere svolto il lavoro nell'avamposto, e nei giorni successivi tenne d'occhio il suo assistente. Capì ben presto che era abile e scrupoloso. L'unico difetto che gli aveva trovato erano i modi bruschi con gli indigeni.

«I malesi sono timidi e molto sensibili» gli disse. «Potrebbe ottenere dei risultati molto migliori solo usando un po' di gentilezza e di pazienza».

Cooper fece una risatina sgradevole.

«Sono nato nelle Barbados e ho fatto la guerra in Africa. Credo di intendermene, di negri».

«Io non me ne intendo affatto» rispose acido Mr Warburton. «Ma adesso non stiamo parlando di negri, stiamo parlando dei malesi».

«E che, non sono negri?».

«Lei è molto ignorante» rispose Mr Warburton.

E non aggiunse altro.

La domenica successiva invitò Cooper a cena. Fece tutto in grande stile, e sebbene si fossero visti il giorno prima in ufficio e più tardi sulla veranda del forte, dove alle sei avevano bevuto un gin bitter, inviò un boy al bungalow con un formale biglietto di invito. Cooper, pur controvoglia, si presentò in abito da sera e Mr Warburton, per quanto compiaciuto che il suo desiderio fosse stato rispettato, notò con disappunto che gli abiti del giovane erano tagliati male e la camicia non gli calzava. Ma quella sera Mr Warburton era di buonumore.

«Tra l'altro,» gli disse stringendogli la mano «ho chiesto al mio boy di trovarle qualcuno, e lui mi ha raccomandato suo nipote. L'ho già incontrato e mi sembra un ragazzo sveglio e volenteroso. Lo vuole vedere?».

«Perché no?».

«È di là che aspetta».

Mr Warburton chiamò il suo boy e gli disse di far entrare il nipote. Dopo un attimo arrivò un giovane sui vent'anni, alto e slanciato, con grandi occhi scuri e un bel profilo. Stava molto bene con il *sarong*, una giacchetta bianca e un fez di velluto color prugna, senza nappa. Si chiamava Abas. Mr Warburton lo guardò con approvazione e i suoi modi si addolcirono mentre gli parlava in un malese fluido e idiomatico. Con i bianchi aveva la tendenza a essere sarcastico, ma coi malesi sortiva una felice combinazione di condiscendenza e bonarietà. Lui rappresentava il sultano; sapeva esattamente come preservare la sua autorevolezza senza per questo mettere a disagio gli indigeni.

«Le sembra che possa andare?» chiese a Cooper.

«Sì, non sarà una canaglia peggiore degli altri».

Mr Warburton informò il ragazzo che aveva il posto e lo congedò.

«Lei è molto fortunato a trovare un boy come quello» disse a Cooper. «Viene da un'ottima famiglia. Sono arrivati qui dalla Malacca quasi cent'anni or sono».

«Non mi importa molto se il boy che mi pulisce le scarpe e mi porta da bere è di sangue blu. Voglio solo che faccia quel che gli dico e lo faccia in fretta».

Mr Warburton strinse le labbra ma non disse niente.

Si misero a tavola. Il cibo era delizioso, accompagnato da un buon vino, e i suoi effetti iniziarono a farsi sentire: non solo i due si parlavano senza acrimonia, ma addirittura amichevolmente. A Mr Warburton piaceva trattarsi bene, e la domenica sera aveva preso l'abitudine di trattarsi anche un po' meglio del solito. Iniziò a pensare di essere stato ingiusto con Cooper. Certo, non era un gentiluomo, ma non si poteva fargliene una colpa, e imparando a conoscerlo si sarebbe magari rivelato un'ottima persona. Il suo difetto, forse, erano solo le sue maniere. E sul lavoro era senz'altro capace, veloce, metodico e coscienzioso. Arrivati al dessert, Mr Warburton si sentiva bendisposto verso l'umanità intera.

«Siccome questa è la sua prima domenica qui, voglio brindare con un bicchiere di porto assolutamente speciale. Me ne rimangono solo una ventina di bottiglie e le tengo per le grandi occasioni».

Diede l'ordine e la bottiglia arrivò. Mr Warburton osservò il boy che l'apriva.

«Ho ricevuto questo porto dal mio vecchio amico Charles Hollington. Lui l'ha conservato per quarant'anni, e io per molti altri. La sua cantina era notoriamente la migliore d'Inghilterra».

«Era un vinaio?».

«Non esattamente» disse Mr Warburton con un sorriso. «Stavo parlando di Lord Hollington di Castle Reagh. È uno dei più facoltosi pari d'Inghilterra. Un caro amico. Ero a Eton con suo fratello».

Gli si presentava una di quelle opportunità alle quali Mr Warburton non sapeva resistere, e raccontò un piccolo aneddoto che sembrava avere l'unico scopo di far sapere che conosceva un conte. Il porto era indubbiamente squisito; ne bevve un bicchiere e poi un secondo. Scordò la sua cautela. Erano mesi che non parlava con un bianco. Prese a raccontare storie. Si descrisse in compagnia dei grandi. Ascoltandolo, si era portati a credere che un tempo i ministri venissero formati e le politiche decise in base al suo consiglio, bisbigliato all'orecchio di una duchessa o buttato lì a tavola e prontamente raccolto dal fidato consigliere del sovrano. Riandò ai giorni passati ad Ascot, Goodwood, Cowes. Un altro bicchiere di porto. C'erano i ricevimenti nelle tenute nello Yorkshire e in Scozia, dove andava ogni anno.

«A quel tempo il mio valletto era un certo Foreman, il migliore che abbia mai avuto, e indovini un po' perché si licenziò? Sa che al tavolo della servitù le cameriere delle signore e i valletti si dispongono secondo il rango dei loro padroni. Lui mi disse che era stufo di andare a un ricevimento dopo l'altro dove io ero l'unico a non avere un titolo. Voleva dire che doveva sempre sedersi in fondo, e prima che il piatto di portata arrivasse fino a lui le parti migliori erano già sparite. Raccontai la storia al vecchio duca di Hereford, che si sbellicò dalle risa. "Glielo giuro," mi disse "se fossi il re d'Inghilterra, la farei visconte solo per venire incontro al suo valletto". "Lo prenda con sé, duca" dissi io. "È il miglior valletto che abbia mai avuto". "Bene, Warburton," disse lui "se va bene per lei andrà bene anche per me. Me lo mandi"».

Poi c'era stato Montecarlo, dove una sera Mr Warburton e il granduca Fjodor, giocando in coppia, avevano fatto saltare il banco; e Marienbad. A Marienbad Mr Warburton aveva giocato a baccarà con Edoardo VII.

«Sì, allora era soltanto principe di Galles. Ricordo che mi disse: "George! Se chiami con cinque, ci rimetti anche la camicia". E aveva ragione: era la sacrosanta verità. Era un uomo meraviglioso. Io l'ho sempre detto, era il più grande diplomatico di tutta l'Europa. Ma allora ero giovane e stolto, non seguii il suo consiglio. Se l'avessi fatto, se non avessi chiamato con cinque, posso dire che oggi non sarei qui».

Cooper lo osservava. I suoi occhi bruni, infossati, erano duri e sprezzanti; sulle labbra aveva un sorriso di scherno. Ne aveva sentite parecchie su Mr Warburton a Kuala Solor; non era un cattivo diavolo, dicevano, e il suo distretto lo fa funzionare come un orologio, ma Gesù, che snob! Ridevano di lui bonariamente, perché era impossibile avercela con qualcuno così cortese e generoso, e la storia del principe di Galles e del baccarà Cooper l'aveva già sentita. Ma ora lo ascoltava senza indulgenza. I modi del ministro residente gli avevano dato sui nervi dal primo momento. Cooper era suscettibile, e il compito sarcasmo di Mr Warburton lo faceva fremere di rabbia. Mr Warburton aveva un talento innato per accogliere con un silen-

217

zio devastante le affermazioni che disapprovava. Cooper aveva vissuto poco tempo in Inghilterra, e provava una particolare antipatia per gli inglesi. Soprattutto non sopportava i rampolli delle scuole private, poiché temeva sempre che lo trattassero con superiorità. Aveva talmente paura di venir trattato dall'alto in basso che lo faceva lui per primo, così che finiva per sembrare un insopportabile arrogante.

«Be', ad ogni modo la guerra una cosa buona l'ha fatta» disse infine. «Ha sradicato il potere dell'aristocrazia. Quel che la Guerra boera aveva iniziato, l'ha portato a termine il 1914».

«Le grandi famiglie inglesi sono condannate» rispose Mr Warburton con la malinconia compiaciuta di un *émigré* che rimembri la corte di Luigi XV. «Non possono più permettersi di vivere nei loro splendidi palazzi e ben presto la loro ospitalità principesca sarà solo un ricordo».

«L'ha portato a termine proprio bene, perdinci».

«Mio povero Cooper, cosa ne può sapere lei "della gloria che fu d'Atene e della maestà che fu di Roma"?».

Mr Warburton fece un ampio gesto con la mano. Per un istante i suoi occhi si colmarono del sogno del passato.

«Guardi, noi non ne possiamo più di queste idiozie. Vogliamo un governo d'affari gestito da uomini d'affari. Sono nato in una colonia della Corona, e nelle colonie ho trascorso quasi tutta la vita. Non mi importa un fico secco se uno è un lord. Il problema dell'Inghilterra è il suo snobismo. E se c'è una cosa che mi manda in bestia, è uno snob».

Uno snob! Mr Warburton si fece di porpora e i suoi occhi fiammeggiarono d'ira. Quella parola l'aveva perseguitato per tutta la vita. Le gran dame della cui compagnia aveva goduto in gioventù non reputavano biasimevole l'ammirazione che egli nutriva per loro, ma anche le gran dame ogni tanto perdono le staffe, e più d'una volta gli avevano buttato in faccia quell'orribile parola. Warburton sapeva, non poteva evitare di sapere che c'erano

218

delle persone odiose che lo definivano uno snob. Era una tale ingiustizia! Ma se non c'era alcun vizio che egli reputasse più detestabile dello snobismo! Dopotutto voleva solo stare con la gente del suo rango, si sentiva bene solo in loro compagnia, e in nome di Dio come si poteva considerarlo snobismo? Chi si assomiglia...

«Sono d'accordo con lei» rispose. «Lo snob è una persona che ammira o disprezza un altro uomo perché costui è di una classe sociale più alta della sua. È il più volgare dei difetti della nostra borghesia».

Intravide una scintilla divertita negli occhi del suo commensale. Cooper si portò una mano al volto nel tentativo di nascondere il risolino che non riusciva a trattenere, e così lo rese più evidente. Le mani di Mr Warburton ebbero un leggero tremito.

Forse Cooper non si rese mai conto di quanto profondamente offese il suo capo. Per quanto permaloso, era stranamente insensibile ai sentimenti altrui.

Il lavoro li obbligava a trascorrere insieme vari momenti nell'arco del giorno; poi, alle sei, si trovavano per l'aperitivo nella veranda di Mr Warburton. Questa era un'antica usanza del luogo che Mr Warburton non avrebbe infranto per nulla al mondo. Ma i due consumavano i pasti separatamente, Cooper nel suo bungalow e Mr Warburton al forte. Finito il lavoro d'ufficio passeggiavano fino al crepuscolo, ma ognuno per conto suo. C'erano pochi sentieri in quella regione dove la giungla premeva contro le piantagioni del villaggio, e appena Mr Warburton scorgeva l'assistente che camminava col suo passo dinoccolato, cambiava strada per non incontrarlo. Cooper, con la sua maleducazione e supponenza, gli dava già sui nervi; ma fu solo due mesi dopo il suo arrivo che un incidente mutò l'insofferenza del ministro in odio.

Mr Warburton si era dovuto recare nelle regioni settentrionali per un'ispezione, e aveva lasciato l'avamposto in mano a Cooper, con piena fiducia, convinto com'era che il giovane fosse all'altezza. L'unica cosa che non gli piaceva era la sua intolleranza. Era onesto, giusto e meticoloso, però aveva in antipatia gli indigeni. Mr Warburton era amaramente divertito dal fatto che quell'uomo, che si considerava eguale a chiunque, guardasse dall'alto in basso tutta quella gente. Era troppo duro, non aveva pazienza con la mentalità indigena ed era prepotente. Mr Warburton capì ben presto che ai malesi Cooper non piaceva e ne avevano paura, la qual cosa non gli dispiacque del tutto. Non lo avrebbe entusiasmato scoprire che il suo assistente godeva di una popolarità che poteva rivaleggiare con la sua. Mr Warburton fece i suoi meticolosi preparativi, partì per la spedizione, e fece ritorno dopo tre settimane. Nel frattempo era arrivata la posta. La prima cosa che gli saltò all'occhio quando entrò nel suo salotto fu una gran pila di giornali privi della fascetta. Cooper gli era andato incontro ed erano entrati insieme. Mr Warburton chiese spiegazioni a uno dei domestici rimasti al forte. Cooper si affrettò a dire:

«Volevo leggere tutto il possibile sull'omicidio di Wolverhampton, quindi ho preso in prestito le sue copie del "Times". Gliele ho riportate tutte. Ero certo che non avrebbe avuto niente in contrario».

Mr Warburton lo guardò, livido di rabbia.

«Ma io *ho* qualcosa in contrario. Ho molto, molto in contrario».

«Mi dispiace» disse Cooper, senza scomporsi. «È che proprio non riuscivo ad attendere fino al suo ritorno».

«E le mie lettere, ha aperto anche quelle?».

Cooper, per nulla turbato, sorrise dell'irritazione del suo capo.

«Be', sono due cose un po' diverse. Dopotutto, come potevo immaginare che non voleva che leggessi i suoi giornali? Non contengono niente di privato».

«Io trovo estremamente sconveniente che qualcuno legga i miei giornali prima di me». Warburton si avvicinò alla pila. Saranno stati almeno trenta numeri. «La trovo un'impertinenza inammissibile da parte sua. Sono tutti mischiati».

«Li possiamo riordinare in un attimo» disse Cooper, avvicinandosi al tavolo.

«Non li tocchi» scandì Mr Warburton.

«Andiamo, è infantile fare una scenata per una sciocchezza simile».

«Come osa parlarmi in questo modo?».

«Ma vada al diavolo» disse Cooper, e uscì bruscamente dalla stanza.

Mr Warburton, tremante di furore, rimase a contemplare i suoi giornali. Il suo più grande piacere era stato guastato da quelle mani insensibili e brutali. Molti di coloro che vivono in luoghi remoti strappano le fascette con impazienza e leggono subito i numeri più recenti. Ma Mr Warburton no. Il suo giornalaio aveva l'ordine di scrivere su ogni fascetta la data del giornale che spediva, e quando arrivavano tutti insieme Mr Warburton li ordinava numerandoli con la matita blu. Ogni mattina il suo boy doveva posare una copia sul tavolo in veranda, con la prima tazza di tè, e Mr Warburton provava una delizia tutta speciale a scartare e leggere il giornale del mattino sorseggiando il tè. Gli dava l'illusione di essere a casa. Al lunedì mattina leggeva il «Times» del lunedì di sei settimane prima, e così via per tutta la settimana. La domenica leggeva l'«Observer». Come l'abitudine di cambiarsi per la cena, quello era un legame con la civiltà. Ed egli andava fiero del fatto che, per quanto avvincenti potessero essere le notizie, non aveva mai ceduto alla tentazione di scartare un giornale prima del tempo stabilito. A volte durante la guerra l'attesa era stata intollerabile; un giorno aveva letto che era iniziata un'offensiva di sfondamento e aveva sofferto di un'ansia terribile che si sarebbe potuto facilmente risparmiare aprendo il numero successivo, posato lì sul ripiano. Era stata la prova più ardua, ma l'aveva superata. E quello stolto invadente aveva scartato tutte le sue copie ben impacchettate solo perché voleva scoprire se una donnaccia aveva ucciso il suo odioso marito.

Mr Warburton mandò il boy a prendere delle fascette.

Ripiegò i giornali con la massima cura, li avvolse con le fascette e li numerò. Ma fu un compito ingrato.

«Non lo perdonerò mai» si disse. «Mai».

Ovviamente il suo boy l'aveva accompagnato nella spedizione: lo portava con sé in tutti i viaggi perché conosceva le sue esigenze a menadito, e lui non era tipo da avventurarsi nella giungla rinunciando alle comodità; dopo il loro ritorno il boy era andato a chiacchierare negli alloggi della servitù, e lì aveva scoperto che Cooper aveva avuto dei problemi con i suoi domestici. Tutti eccetto il giovane Abas l'avevano abbandonato. Anche Abas voleva andarsene, ma avendo ottenuto quel posto su indicazione del ministro residente, aveva paura di farlo senza il permesso di suo zio.

«Io gli ho detto che ha fatto bene, *tuan*» disse il boy. «Ma lui è infelice. Dice che non è una buona casa, e vuole sapere se può andare via come gli altri».

«No, deve rimanere. Il *tuan* deve avere dei domestici. Sono stati rimpiazzati quelli che l'hanno lasciato?».

«No, *tuan*, nessuno ci vuole andare».

Mr Warburton si rabbuiò. Cooper era uno stolto insolente, ma aveva una carica ufficiale e pertanto doveva essere servito come si deve. Non era ammissibile che la gestione della sua casa fosse inadeguata.

«Dove si trovano i boy che sono fuggiti?».

«Sono al *kampong*, *tuan*».

«Stasera va' a dirgli che mi aspetto che domani all'alba si presentino alla casa del *tuan* Cooper».

«Mi risponderanno di no, *tuan*».

«A un mio ordine?».

Il boy, al servizio di Mr Warburton da quindici anni, conosceva ogni minima inflessione della sua voce. Non aveva paura di lui, ne avevano passate troppe insieme; una volta, nella giungla, il ministro residente gli aveva salvato la vita, e un'altra se non fosse stato per lui Mr Warburton, sorpreso dalle rapide, sarebbe annegato. Ma capiva quando il ministro doveva essere obbedito senza obiezioni.

«Vado al *kampong*» disse.

Mr Warburton si aspettava che alla prima occasione il suo subalterno si sarebbe scusato della propria villania, ma Cooper da buon maleducato era incapace di esprimere rammarico, e quando la mattina seguente si videro in ufficio fece finta di niente. Dal momento che Mr Warburton era stato via per tre settimane, fu necessaria una riunione prolungata. Alla fine di questa, Mr Warburton lo congedò.

«Credo che non ci sia nient'altro, la ringrazio». Cooper stava per uscire, ma Mr Warburton aggiunse:

«Mi sembra di capire che ha avuto dei problemi con i suoi boy».

Cooper fece una risata aspra.

«Hanno cercato di ricattarmi. Hanno avuto la sfacciataggine di svignarsela, tutti meno quell'incompetente di Abas – lui lo sa che deve solo baciarsi i gomiti –, ma io non ho mosso un dito. E adesso rieccoli qua, tutti a cuccia».

«Cosa intende dire?».

«Stamattina erano al loro posto, il cuoco cinese e tutti quanti. Lì come tanti agnellini, manco fossero a casa loro. Si vede che l'hanno capita che non sono fesso come credevano».

«Niente affatto. Sono tornati perché gliel'ho ordinato io».

Cooper arrossì appena.

«Le sarei grato se non interferisse con i miei affari privati».

«Non sono affari privati. Se i suoi domestici la piantano in asso, lei perde la faccia. Se vuol rendersi ridicolo, liberissimo, ma io non posso permettere che avvenga a opera di altri. È impensabile che la sua casa non sia fornita del personale adeguato. Non appena ho sentito che i suoi boy l'avevano lasciata, gli ho mandato a dire di farsi trovare al loro posto all'alba. Questo è quanto».

Mr Warburton fece un cenno col capo per dire che la conversazione era chiusa. Cooper non ci badò.

«Vuole sapere cosa ho fatto io, invece? Li ho radunati e ho dato il benservito a tutta la masnada. Gli ho dato dieci minuti per togliersi dai piedi».

Mr Warburton scrollò le spalle.

«Cosa le fa pensare che ne troverà degli altri?».

«Ho dato incarico al mio impiegato».

Mr Warburton rifletté un momento.

«Secondo me si è comportato da stolto. In futuro le converrà ricordare che è il buon padrone a fare il buon servo».

«C'è nient'altro che mi vuole insegnare?».

«Vorrei tanto insegnarle le buone maniere, ma sarebbe un compito estremamente arduo, e non ho tanto tempo da perdere. Farò in modo di trovarle dei boy».

«La prego, non si disturbi per me. Sono perfettamente in grado di trovarmeli da solo».

Mr Warburton fece un sorriso acido. Aveva la sensazione che Cooper lo detestasse quanto lo detestava lui, e sapeva quanto sia irritante essere costretti ad accettare i favori di qualcuno che non si può soffrire.

«Mi permetta di dirle che al momento le sue probabilità di trovare un servo malese o cinese sono pari a quelle di trovare un maggiordomo inglese o uno chef francese. Nessuno entrerà in servizio da lei, ormai, a meno che io non glielo ordini espressamente. Vuole che dia questo ordine?».

«No».

«Come vuole. Arrivederla».

Mr Warburton osservò l'evolversi della situazione con sardonico divertimento. L'impiegato di Cooper non riuscì a convincere un solo malese, daiacco o cinese a entrare al servizio di un simile padrone. Abas, il boy che gli era rimasto fedele, sapeva cucinare solo cibo del posto e a Cooper, che amava le pietanze sostanziose, l'eterno riso diede presto il voltastomaco. Non c'era più il portatore d'acqua, e con quel caldo aveva bisogno di svariati bagni al giorno. Imprecava contro Abas, ma questi gli opponeva un'arcigna resistenza e faceva solo quel che gli andava di fare. Era snervante sapere che il ragazzo restava con lui soltanto perché il ministro aveva insistito. Andò così per due settimane, finché una mattina Cooper si trovò in casa tutti i servi che aveva scacciato. Montò su tutte le furie, però la lezione gli era servita, quindi stavolta non disse niente e li lasciò rimanere. Ingoiò l'umiliazione, ma il disprezzo insofferente che aveva provato per le idiosincrasie di Mr Warburton si trasformò in un odio tetro: il suo capo con quella perfida mossa l'aveva reso lo zimbello degli indigeni.

I due smisero di comunicare. Ruppero perfino l'antica usanza dell'aperitivo serale, che i bianchi avevano sempre rispettato malgrado le reciproche antipatie. Ognuno viveva a casa propria come se l'altro non esistesse. Ora che Cooper aveva imparato il mestiere, in ufficio non avevano quasi più bisogno l'uno dell'altro. Mr Warburton gli mandava dei messaggi mediante il proprio attendente, mentre le istruzioni le scriveva formalmente per lettera. Si incrociavano spesso, era inevitabile, però si scambiavano meno di sei parole alla settimana. Il fatto stesso di non poter fare a meno di intravedersi li esasperava. Era un continuo rimuginare sul loro antagonismo; quando Mr Warburton andava a fare la passeggiata quotidiana riusciva soltanto a pensare a quanto detestava il suo assistente.

E il peggio era che, con tutta probabilità, sarebbero rimasti in questa situazione, schierati come nemici mortali, finché Mr Warburton non fosse andato in congedo. Poteva durare per altri tre anni. Egli non aveva ragione di lamentarsi di Cooper al quartier generale: lavorava bene, e in quel periodo era difficile trovare personale. È vero, di lamentele gliene erano giunte all'orecchio, e c'era ragione di credere che con gli indigeni Cooper fosse spietato. Loro erano senz'altro scontenti. Però, esaminando caso per caso, Mr Warburton poteva solo concludere che Cooper era stato severo là dove un po' di indulgenza avrebbe solo aiutato, e insensibile là dove lui si sarebbe mostrato comprensivo. Ma non aveva fatto niente di cui dovesse rispondere alle autorità. Ad ogni modo, Mr Warburton lo teneva d'occhio. L'odio aguzza spesso la vista, e lui sospettava che Cooper maltrattasse gli indigeni, senza però mai infrangere la legge: sapeva che così poteva esacerbare il suo capo. Chissà, forse un giorno si sarebbe spinto troppo in là. Nessuno sapeva meglio di Mr Warburton come il caldo incessante logori i nervi, e come sia difficile essere padroni di sé dopo una notte insonne. Sorrideva tra sé e sé. Presto o tardi, Cooper si sarebbe consegnato nelle sue mani.

Quando infine giunse l'opportunità, Mr Warburton se la rise di gusto. Cooper gestiva i prigionieri; questi costruivano strade, capanne, facevano da vogatori se bisognava mandare il *praho* da qualche parte, tenevano pulito il paese, e simili utili cose. Se si comportavano bene, avevano anche la possibilità di servire come boy. Cooper li faceva sudare. Gli piaceva vederli sfacchinare. Provava gusto a inventarsi dei compiti, e i prigionieri, che capivano in fretta quando stavano facendo qualcosa di inutile, cominciarono a lavorare male. Allora lui li punì costringendoli a lavorare più ore. Questo era contrario al regolamento, e quando lo riferirono a Mr Warburton lui, senza avvisare il suo subalterno, diede ordine di tornare al vecchio orario. Cooper, nel mezzo della sua passeggiata, si stupì di vedere i prigionieri che se ne tornavano in carcere: le sue istruzioni erano di farli sgobbare fino al tramonto. Quando chiese spiegazioni alla guardia responsabile, gli fu risposto che era un ordine del ministro residente.

Livido di rabbia corse al forte. Mr Warburton, col suo impeccabile completo bianco e il casco coloniale immacolato, il bastone in pugno, seguito dai suoi cani, era pronto per la passeggiata pomeridiana. Aveva visto che Cooper si era incamminato per il sentiero del fiume. Cooper salì gli scalini a due a due e gli si parò dinanzi.

«Si può sapere perché diavolo ha revocato il mio ordine di far lavorare i prigionieri fino alle sei?» sbottò, fuori di sé dalla rabbia.

226

Mr Warburton sgranò i suoi freddi occhi azzurri e assunse un'espressione di grande sorpresa.

«È completamente impazzito? È davvero così ignorante da non sapere che non è questo il modo di rivolgersi al suo superiore?».

«Ma vada all'inferno. I prigionieri sono roba mia, e lei non ha diritto di metterci il naso. Lei si occupi degli affari suoi come io mi occupo dei miei! Vorrei sapere cosa diavolo crede di ottenere mettendomi in ridicolo. Tutti verranno a sapere che lei ha revocato il mio ordine».

Mr Warburton rimase impassibile.

«Lei non ha l'autorità per dare quell'ordine. Ho dato il contrordine perché era spietato e tirannico. E mi creda, non sono io che l'ho ridicolizzata, lei ha fatto tutto da solo».

«Mi ha preso in antipatia dal primo momento che ho messo piede qui. Ha fatto di tutto per rendermi la vita impossibile solo perché non le leccavo gli stivali. Mi tormenta perché non l'ho mai adulata».

Cooper, farfugliando dalla rabbia, si stava spingendo su un terreno pericoloso, e gli occhi di Mr Warburton si fecero più freddi e penetranti.

«Si sbaglia. La considero una canaglia, ma sono perfettamente soddisfatto del suo lavoro».

«Snob della malora! Sarei una canaglia solo perché non ho frequentato Eton! Ah sì, me l'avevano detto a Kuala Solor cosa aspettarmi. Perché, non lo sa di essere lo zimbello dei nostri connazionali? Quando mi ha raccontato la sua famosa storia sul principe di Galles ho faticato a non riderle in faccia. Santo Dio, sapesse come si sganasciavano quando la raccontavano al club. Sì, per Dio, preferisco essere la canaglia che sono piuttosto che lo snob che è lei!».

Aveva toccato Mr Warburton sul vivo.

«Se non lascia casa mia in questo preciso istante, io la stendo!» gridò.

Cooper gli si avvicinò finché le loro facce quasi si toccarono.

«Su, ci provi, ci provi a toccarmi» diceva. «Per Dio, questa vorrei proprio vederla, lei che mi dà un pugno. Vuole che glielo ripeta? Snob. Snob!».

Cooper era un giovanotto forte, muscoloso e una decina di centimetri più alto di Mr Warburton. Mr Warburton era grasso e aveva cinquantaquattro anni. Fece per dargli un pugno. Cooper gli fermò il braccio e lo spinse indietro.

«Non faccia il cretino. Si ricordi che non sono un gentiluomo. Le so usare le mani, io».

Fece una risataccia sguaiata, poi, il viso pallido e aguzzo deformato da un ghigno, scese d'un salto i gradini della veranda. Mr Warburton, con il cuore impazzito dal furore che gli squassava il torace, si lasciò cadere su una sedia. Il corpo gli prudeva come per un eritema. Per un orribile istante temette di mettersi a piangere, ma all'improvviso si accorse della presenza del suo boy nella veranda e istintivamente recuperò il controllo. Il boy si fece avanti e gli riempì un bicchiere di whisky e soda. Senza una parola, Mr Warburton lo vuotò d'un fiato.

«Cosa devi dirmi?» chiese Mr Warburton, sforzandosi di sorridere.

«*Tuan*, l'assistente *tuan* è un uomo cattivo. Abas vuole di nuovo andarsene».

«Che porti ancora un po' di pazienza. Scriverò a Kuala Solor per chiedere che trasferiscano il *tuan* Cooper altrove».

«Il *tuan* Cooper non è buono con i malesi».

«Su, adesso va'».

Il boy si ritirò silenzioso. Mr Warburton rimase solo con i suoi pensieri. Vedeva il club di Kuala Solor all'imbrunire, gli uomini appena rientrati dal golf o dal tennis, seduti al tavolo accanto alla finestra coi loro completi di flanella a bere whisky o gin pahit, e a ridere della famosa storia di lui col principe di Galles a Marienbad. Si sentiva bruciare dalla vergogna, dal dolore. Uno snob! Tutti lo consideravano uno snob. E lui che li aveva sempre apprezzati, che si era sempre comportato da gentiluomo, senza far pesare a nessuno il loro rango alquanto ordinario. Ora li detestava. Ma l'odio per loro non era niente in confronto all'odio che provava per Cooper. Se fossero davvero venuti alle mani Cooper l'avrebbe ridotto molto male. Lacrime di mortificazione rigarono il suo faccione rubicondo. Rimase seduto per un paio d'ore fumando una sigaretta dopo l'altra e desiderando di esser morto.

Infine ritornò il suo boy e gli chiese se voleva cambiarsi per cena. Ma certo! Si cambiava sempre per cena. Si alzò con fatica dalla sedia e andò a infilarsi la camicia inamidata e il colletto alto. Si sedette alla tavola finemente decorata, e come al solito fu servito da due boy, mentre altri due agitavano gli ampi ventagli. A meno di duecento metri di distanza, Cooper nel bungalow trangugiava la sua sbobba vestito solo di un *sarong* e di un *baju*. Era a piedi nudi e probabilmente mangiando leggeva un giallo. Dopo cena Mr Warburton si mise a scrivere una lettera. Il sultano era in viaggio, ma lui la indirizzò, in forma privata e confidenziale, al suo rappresentante. Cooper svolgeva il suo lavoro in modo impeccabile, gli diceva, ma semplicemente non andavano d'accordo. Erano arrivati al punto di esasperarsi vicendevolmente, e, se avesse trasferito Cooper altrove, egli l'avrebbe considerato un grande favore personale.

Inviò la lettera con un messaggero speciale il mattino seguente. La risposta arrivo di lì a due settimane, con la posta del mese. Era un biglietto personale che diceva:

Mio caro Warburton,

preferisco non rispondere in modo ufficiale alla tua lettera, perciò ti scrivo queste poche righe di mio pugno. Chiaramente, se tu dovessi insistere, sottoporrò la tua richiesta al sultano, ma a mio parere sarebbe più saggio lasciar perdere. So bene che Cooper può apparire rozzo, ma è molto capace e in guerra se l'è vista brutta, perciò io credo che gli vada concessa ogni opportunità. Ho l'impressione che tu sia un po' troppo incline a giudicare gli uomini in base alla loro posizione sociale, ma sai bene che i tempi sono cambiati. Certo, il lignaggio è un'ottima cosa, ma è più importante che un uomo sia competente e che lavori sodo. Sono convinto che esercitando un po' di tolleranza ti intenderai molto bene con Cooper.

Con i più cordiali saluti
Richard Temple

La lettera gli cadde di mano. Non era difficile leggere tra le righe. Dick Temple, che conosceva da vent'anni, Dick Temple che veniva da un'ottima famiglia di proprietari terrieri lo considerava uno snob, e per questa ragione non prendeva sul serio la sua richiesta. All'improvviso la vita per Mr Warburton si svuotò di senso. Il mondo di cui faceva parte era scomparso e il futuro apparteneva a una generazione più meschina. Cooper la rappresentava, ed egli lo odiava con tutto il cuore. Allungò la mano per riempirsi il bicchiere e a quel gesto il suo boy si fece avanti.

«Non sapevo che fossi rimasto qui».

Il boy raccolse la lettera da terra. Ah, ecco perché si era fermato.

«Il *tuan* Cooper se ne va, *tuan*?».

«No».

«Succederà una disgrazia».

Per un attimo quelle parole non lo scossero dal suo sfinimento. Ma solo per un attimo. Si raddrizzò sulla sedia e fissò il boy. Era tutt'orecchi.

«Cosa intendi dire?».

«Il *tuan* Cooper non si comporta bene con Abas».

Mr Warburton scrollò le spalle. Un uomo come Cooper non poteva capire come si tratta la servitù. Mr Warburton li conosceva bene quelli come lui: ora danno troppa confidenza ai domestici, ora li bistrattano senza alcun riguardo.

«Di' a Abas che può ritornare dalla sua famiglia».

«Il *tuan* Cooper gli trattiene lo stipendio, così lui non può scappare. È da tre mesi che non lo paga. Gli dico di portare pazienza. Ma lui è arrabbiato, lui non vuole più sentire ragioni. Se il *tuan* Cooper continua a trattarlo male, succederà una disgrazia».

«Hai fatto bene a dirmelo».

Quello stolto di Cooper! Li conosceva davvero così poco i malesi da credere di poterli offendere impunemente? Se lo sarebbe meritato, di finire con un *kriss* conficcato nella schiena. Un *kriss*. Di colpo il cuore di Mr Warburton parve mancare un battito. Doveva solo lasciare che le cose seguissero il loro corso e un bel giorno non avrebbe più avuto Cooper fra i piedi. Gli venne in mente l'espressione «una magistrale inattività» e fece un sorrisino. E ora il suo cuore prese a battere più in fretta, perché vide l'odiato a faccia in giù su un sentiero nella giungla, con un coltello nella schiena. Una fine adeguata per quella canaglia, quel prepotente. Mr Warburton sospirò. Era suo dovere avvertirlo, e l'avrebbe fatto senz'altro. Scrisse un breve biglietto formale convocandolo al forte seduta stante.

Dieci minuti dopo, Cooper gli stava davanti. Non si erano più parlati dal giorno in cui Mr Warburton gli aveva quasi dato un pugno. Non lo invitò a sedersi.

«Voleva vedermi?» chiese Cooper.

Era in disordine e poco pulito. Il viso e le mani erano coperti da pustole rosse dove aveva grattato a sangue le punture di zanzara. La lunga faccia aguzza era imbronciata.

«Sono venuto a sapere che ha di nuovo problemi con la servitù. Abas, il nipote del mio boy, si lamenta di non aver ricevuto lo stipendio degli ultimi tre mesi. Mi pare sia un procedimento poco ortodosso. Quel ragazzo vuole andarsene, e non lo posso certo biasimare. Perciò devo chiederle di versargli quanto gli spetta».

«Non intendo lasciarlo andare. Gli trattengo lo stipendio come garanzia di buon comportamento».

«Lei non conosce i malesi. Sono estremamente sensibili al ridicolo e agli oltraggi. Sono passionali e vendicativi. È mio dovere informarla che se tira troppo la corda con questo ragazzo, rischia grosso».

Cooper sghignazzò, sprezzante.

«E cosa crede che mi farà?».

231

«Credo che la ucciderà».

«Perché, le dispiacerebbe?».

«Oh, non si preoccupi» rispose Mr Warburton con una risatina. «Saprei dar prova di grande forza d'animo. Ma ho l'obbligo ufficiale di avvisarla».

«E lei crede che io abbia paura di un maledetto negro?».

«La cosa mi è totalmente indifferente».

«Be', sappia che so badare a me stesso; quell'Abas è uno sporco ladro, e che non provi a fare uno dei suoi scherzi da scimmia con me, o giuro su Dio che gli spezzo l'osso del collo».

«Non ho altro da dirle. Buona sera» replicò Mr Warburton, e lo congedò con un cenno del capo. Cooper avvampò, per un istante non seppe che dire o che fare, poi girò sui tacchi e uscì goffamente dalla stanza. Mr Warburton lo seguì con lo sguardo, un sorriso glaciale sulle labbra. Aveva fatto il proprio dovere. Ma cosa avrebbe pensato se avesse saputo che, una volta chiusosi nel suo bungalow così silenzioso e triste, Cooper si era buttato sul letto e, in quell'amara solitudine, aveva avuto un crollo? Il suo petto era squassato dai singhiozzi, lacrime pesanti gli rigavano le guance magre.

Dopo quell'incontro i due si videro molto di rado, e non scambiarono più nemmeno una parola. Mr Warburton leggeva il «Times» la mattina, svolgeva il suo lavoro in ufficio, faceva la passeggiata, si cambiava per cena, si sedeva in riva al fiume a fumare il *cheroot*. Se per caso incrociava Cooper, lo ignorava. Entrambi, sebbene fossero sempre consci di quella vicinanza, si comportavano come se l'altro non esistesse. Il tempo non guarì il loro livore. Si tenevano d'occhio, sapevano sempre cosa aveva fatto l'altro. Anche se da giovane Mr Warburton era stato un buon tiratore, con l'età non sopportava più che si uccidessero gli animali selvaggi della giungla. Ogni domenica e nei giorni festivi Cooper andava a caccia: se prendeva qualcosa era una vittoria su Mr Warburton, se non prendeva niente, Mr Warburton faceva spallucce e ridacchiava. Questi villani rifatti che vogliono atteggiarsi a sportivi! Il Natale fu un brutto periodo per entrambi: cenarono da soli, ognuno nel proprio appartamento, e si ubriacarono con intenzione. Erano gli unici bianchi nel raggio di trecento chilometri e vivevano a un tiro di schioppo l'uno dall'altro. All'inizio dell'anno Cooper si ammalò, e quando Mr Warburton lo intravide rimase sorpreso dalla sua magrezza. Aveva l'aria esausta e malaticcia. La solitudine, tanto più innaturale poiché non forzata, gli logorava i nervi. Logorava anche quelli di Mr Warburton, che spesso la notte non riusciva a dormire. Se ne stava steso a rimuginare. Cooper aveva preso a bere pesantemente e la crisi non poteva essere lontana; ma nei suoi rapporti con gli indigeni stava attento a non far niente che potesse procurargli una strigliata del ministro. Combattevano una battaglia muta, cupa. Era una prova di resistenza. I mesi passavano, e nessuno dei due dava segni di cedimento. Era come se vivessero in una plaga di notte eterna, l'animo oppresso dalla consapevolezza che per loro l'alba non sarebbe sorta mai. Sembrava che le loro vite sarebbero continuate all'infinito nella sorda e atroce monotonia dell'odio.

E quando infine l'inevitabile accadde, colse Mr Warburton di sorpresa come un imprevisto. Cooper aveva accusato Abas di avergli rubato alcuni vestiti, e quando il boy aveva negato l'aveva preso per la collottola e l'aveva sbattuto giù dalle scale. Allora il boy aveva reclamato i suoi stipendi e Cooper l'aveva coperto di insulti. Se entro un'ora non fosse sparito dalla sua vista, l'avrebbe consegnato alla polizia. La mattina seguente il boy lo aspettò fuori dal forte mentre andava in ufficio e di nuovo reclamò i suoi stipendi. Cooper gli tirò un pugno in faccia. Il boy cadde a terra e si rialzò col naso sanguinante.

Cooper proseguì e si apprestò a svolgere il suo lavoro, ma non ci riuscì. Quel pugno aveva placato la sua irritazione, e si rese conto di aver oltrepassato il limite. Era preoccupato. Si sentì male, infelice e svuotato. Nell'ufficio adiacente c'era Mr Warburton, ed ebbe l'impulso di andare a dirgli cosa aveva fatto; fu lì lì per alzarsi, poi pensò

233

al disprezzo glaciale con cui l'altro l'avrebbe ascoltato. Vide il suo sorriso di superiorità. Per un attimo gli venne un terrore nervoso di quello che avrebbe potuto fare A-bas. Warburton l'aveva avvertito. Sospirò. Che stupido era stato! Ma poi scrollò le spalle con impazienza. Non gliene importava niente; del resto che ragioni aveva mai per vivere? Era tutta colpa di Warburton; se non lo avesse osteggiato, niente di tutto questo sarebbe successo. Warburton gli aveva reso la vita un inferno sin dal primo giorno. Quello snob. Ma erano tutti così: e tutto perché lui era un Coloniale. Che rabbia non aver ottenuto il brevetto di ufficiale, in guerra; era stato valoroso quanto gli altri. Che manica di snob. Ah, ma non gliel'avrebbe certo data vinta. Ovviamente Warburton avrebbe scoperto cos'era successo; quel demonio sapeva sempre tutto. Ma lui non aveva paura. Non aveva paura di nessun malese del Borneo e Warburton poteva andare sulla forca.

Come previsto, Mr Warburton venne a sapere l'accaduto. Il suo boy glielo disse a pranzo.

«Dov'è tuo nipote, adesso?».

«Non lo so, *tuan*. Se n'è andato».

Mr Warburton rimase in silenzio. Di regola, dopo mangiato faceva un sonnellino, ma quel giorno era sveglio come un grillo. Involontariamente, i suoi occhi cercavano il bungalow dove Cooper stava riposando.

Quell'idiota! Mr Warburton ebbe un attimo di esitazione. Si rendeva conto del pericolo che stava correndo? In teoria doveva mandarlo a chiamare, ma ogni volta che aveva cercato di ragionare con Cooper, quello aveva finito per insultarlo. All'improvviso una collera, una collera cieca gli gonfiò il cuore e gli fece pulsare le vene alle tempie. Mr Warburton strinse forte i pugni. La canaglia era stata avvertita, ora che se la sbrogliasse da solo. La cosa non lo riguardava, e se capitava qualcosa non era colpa sua. Anzi, forse a Kuala Solor si sarebbero pentiti di non aver seguito il suo consiglio di trasferire Cooper altrove.

Quella sera fu preso da una strana inquietudine. Dopo cena, camminò avanti e indietro sulla veranda. Quando il boy stava per ritirarsi, Mr Warburton gli chiese se si fosse visto Abas.

«No, *tuan*, credo che forse è andato al villaggio del fratello di sua madre».

Mr Warburton gli lanciò un'occhiata penetrante, ma il boy teneva gli occhi bassi e i loro sguardi non si incrociarono. Mr Warburton scese al fiume e si sedette sotto la sua pergola. Ma la pace gli era negata. Il fiume scorreva sinistro e muto, come una grande serpe che strisciasse con mosse indolenti verso il mare. E tra gli alberi della giungla chini sull'acqua pesava una minaccia asfissiante. Gli uccelli non cantavano. La brezza non faceva stormire le foglie delle cassie. Tutt'intorno a lui sembrava che qualcosa fosse in attesa.

Attraversò il giardino e raggiunse la strada. Da lì si vedeva il bungalow di Cooper. La luce del salotto era accesa e sulla strada aleggiava il suono di un ragtime. Cooper ascoltava un disco sul grammofono. Mr Warburton rabbridì; non era mai riuscito a superare la sua avversione istintiva verso quell'apparecchio. Non fosse stato per quello, sarebbe andato a parlargli; invece girò sui tacchi e tornò a casa. Lesse fino a tardi, poi finalmente si addormentò. Ma non dormì a lungo, fece sogni terribili, e gli sembrò di essere stato svegliato da un grido. Di certo anche quello era un sogno, perché nessun grido – proveniente dal bungalow, ad esempio – si sarebbe sentito fino in camera sua. Rimase sveglio fino all'alba. Poi udì dei passi veloci, delle voci concitate, il boy irruppe nella sua stanza senza neanche il fez, e il cuore di Mr Warburton si fermò.

«*Tuan, tuan!*».

Mr Warburton saltò giù dal letto.

«Arrivo subito».

Si infilò le pantofole, indossò il *sarong* e la giacca del pigiama, attraversò il cortile ed entrò nel bungalow. Cooper giaceva sul letto, la bocca aperta, un *kriss* conficcato nel cuore. Era stato ucciso nel sonno. Mr Warburton trasalì, ma non perché non si aspettasse una simile scena; trasalì per un moto di gioia nell'animo. Dalle spalle gli era stato tolto un peso gravoso.

Cooper era già freddo. Mr Warburton estrasse il *kriss* dalla ferita – era stato conficcato con tanta violenza che dovette far forza – e lo osservò. Lo riconobbe, era un *kriss* che avevano cercato di vendergli qualche settimana prima, e che poi era stato acquistato da Cooper.

«Dov'è Abas?» chiese severo.

«Abas è al villaggio del fratello di sua madre».

Il sergente della polizia indigena stava ai piedi del letto.

«Prendi due uomini, vai al villaggio e arrestalo».

Mr Warburton fece tutto quel che andava fatto. Impartì gli ordini con fermezza. Le sue frasi erano brevi e perentorie. Poi ritornò al forte. Si rasò, fece il bagno, si vestì e andò in sala da pranzo. Accanto al piatto, lo aspettava una copia del «Times» con la sua fascetta. Mangiò un po' di frutta. Il suo boy gli versò il tè mentre un altro gli portava un piatto di uova. Mr Warburton mangiò con appetito. Il boy rimase in attesa.

«Cosa c'è?» chiese Mr Warburton.

«*Tuan*, Abas, mio nipote, è stato in casa del fratello di sua madre tutta la notte. Ci sono prove. Suo zio è pronto a giurare che non ha lasciato il *kampong*».

Mr Warburton lo fissò, torvo in volto.

«Il *tuan* Cooper è stato ucciso da Abas. Lo sai bene quanto me. Giustizia va fatta».

«*Tuan*, non lo vorrà far impiccare?».

Mr Warburton esitò un momento, e sebbene la sua voce rimanesse ferma e dura, l'espressione dei suoi occhi cambiò. Fu solo un lampo che il malese colse subito, e nei suoi occhi brillò uno sguardo di intesa.

«Abas è stato provocato in modo grave. Sarà condannato a un periodo di detenzione». Ci fu una pausa mentre Mr Warburton si serviva di marmellata. «Quando avrà scontato una parte della pena, lo prenderò in casa come boy. Tu lo potrai istruire. Sono certo che nella casa del *tuan* Cooper avrà preso delle pessime abitudini».

«Abas deve consegnarsi alla polizia, *tuan*?».

«Sarebbe saggio da parte sua».

Il boy si ritirò. Mr Warburton prese il «Times» e lo scartò con cura. Adorava girare quelle pagine spesse, fruscianti. L'aria era fresca, una mattina deliziosa; per un po' vagò amabilmente con lo sguardo per il giardino. Gli era stato tolto un greve fardello dall'anima. Cercò la rubrica degli annunci di nascite, morti e matrimoni, quella che consultava sempre per prima. Un nome che conosceva attirò la sua attenzione: Lady Ormskirk aveva finalmente avuto un bambino. Santi numi, come doveva essere felice la nonna! Le avrebbe scritto un biglietto di felicitazioni con il prossimo giro di posta.

Abas sarebbe sicuramente diventato un ottimo boy.

Che stolto, quel Cooper!

**FINITO DI STAMPARE NELL'AGOSTO 2010
DA STUDIO DUE S.A.S. - MILANO**

Printed in Italy

BIBLIOTECA ADELPHI

ULTIMI VOLUMI PUBBLICATI:

480. Aleksandr Puškin, *Teatro e Favole*
481. William Faulkner, *Il borgo*
482. Irène Némirovsky, *Suite francese* (14ª ediz.)
483. Mervyn Peake, *Gormenghast*
484. Elias Canetti, *Party sotto le bombe*
485. Jorge Luis Borges, *Prologhi con un prologo ai prologhi*
486. Derek Walcott, *Il levriero di Tiepolo*
487. Elizabeth Bishop, *Miracolo a colazione* (2ª ediz.)
488. Alexander Lernet-Holenia, *Un sogno in rosso*
489. Georges Simenon, *Cargo* (2ª ediz.)
490. Wisława Szymborska, *Letture facoltative*
491. W. Somerset Maugham, *Il velo dipinto* (9ª ediz.)
492. *I detti di Confucio*, a cura di Simon Leys
493. Irène Némirovsky, *David Golder*
494. Goffredo Parise, *Il ragazzo morto e le comete*
495. Sándor Márai, *La sorella* (4ª ediz.)
496. Georges Simenon, *Il clan dei Mahé* (3ª ediz.)
497. Michail Lermontov, *Liriche e poemi*
498. Vladimir Nabokov, *Disperazione*
499. William Faulkner, *Santuario*
500. Roberto Calasso, *Il rosa Tiepolo*
501. W.H. Auden, *Lezioni su Shakespeare* (2ª ediz.)
502. Jorge Luis Borges, *Il libro degli esseri immaginari* (3ª ediz.)
503. Evelyn Waugh, *Etichette*
504. Gottfried Benn, *Lettere a Oelze 1932-1945*
505. Rudyard Kipling, *La Città della tremenda notte*
506. Georges Simenon, *Il piccolo libraio di Archangelsk* (3ª ediz.)
507. Adam Zagajewski, *Tradimento*
508. Irène Némirovsky, *Jezabel* (8ª ediz.)
509. W. Somerset Maugham, *Schiavo d'amore*
510. Cristina Campo, *Caro Bul. Lettere a Leone Traverso (1953-1967)*
511. Sándor Márai, *L'isola*
512. Georges Simenon, *Il Presidente* (2ª ediz.)
513. W.H. Auden - Christopher Isherwood, *Viaggio in una guerra*
514. Jorge Luis Borges, *La misura della mia speranza*
515. E.M. Cioran, *Confessioni e anatemi*
516. William Faulkner, *Luce d'agosto*
517. Sybille Bedford, *Una visita a Don Otavio*
518. Georges Simenon, *Il treno* (3ª ediz.)
519. O.V. de L. Milosz, *Sinfonia di Novembre e altre poesie*
520. Vladimir Nabokov, *Una bellezza russa e altri racconti* (2ª ediz.)
521. Irène Némirovsky, *I cani e i lupi* (3ª ediz.)
522. Oliver Sacks, *Musicofilia* (5ª ediz.)

523. Mario Brelich, *Giuditta*
524. Thomas Browne, *Religio Medici*
525. Sándor Márai, *Liberazione*
526. Georges Simenon, *Senza via di scampo* (2ª ediz.)
527. Rudyard Kipling, *I figli dello Zodiaco*
528. W. Somerset Maugham, *Ashenden o L'agente inglese*
529. Simone Weil, *Attesa di Dio* (2ª ediz.)
530. Robert Walser, *Il Brigante*
531. Roberto Calasso, *La Folie Baudelaire* (5ª ediz.)
532. William Faulkner, *La paga dei soldati*
533. Isaiah Berlin, *A gonfie vele*
534. Vasilij Grossman, *Vita e destino* (7ª ediz.)
535. Georges Simenon, *Le campane di Bicêtre* (2ª ediz.)
536. Irène Némirovsky, *I doni della vita* (4ª ediz.)
537. Patrick Leigh Fermor, *Tempo di regali*
538. Milan Kundera, *Un incontro*
539. Igino, *Mitologia astrale*
540. François Mauriac, *Thérèse Desqueyroux*
541. Sándor Márai, *L'ultimo dono*
542. Joseph Roth, *Al bistrot dopo mezzanotte* (3ª ediz.)
543. Georges Simenon, *La finestra dei Rouet* (2ª ediz.)
544. S.Y. Agnon, *La leggenda dello scriba* (2ª ediz.)
545. W.G. Sebald, *Secondo natura*
546. John Ruskin, *Gli elementi del disegno*
547. Jorge Luis Borges, *Il prisma e lo specchio*
548. Derek Walcott, *Isole*
549. William Faulkner, *Pilone*
550. Alexander Pope, *Il ratto del ricciolo*
551. Vladimir Nabokov, *L'originale di Laura*
552. Mervyn Peake, *Via da Gormenghast*
553. Georges Simenon, *Il ranch della Giumenta perduta*
554. Yasushi Inoue, *Ricordi di mia madre*
555. Irène Némirovsky, *Due* (4ª ediz.)
556. Goffredo Parise, *Il prete bello*
557. Leonardo Sciascia, *Il fuoco nel mare*
558. Vladimir Pozner, *Tolstoj è morto*
559. Georges Simenon, *Corte d'Assise* (2ª ediz.)
560. Varlam Šalamov, *Višera*
561. Alexander Lernet-Holenia, *Ero Jack Mortimer*